La mort ouvre sur la vie

Nevill Randall

La mort ouvre sur la vie

Traduit de l'anglais par Robert Fouques Duparc

ÉDITIONS FRANCE LOISIRS

Édition du Club France Loisirs,
avec l'autorisation de JMG éditions.

Éditions France Loisirs,
123, boulevard de Grenelle, Paris.
www.franceloisirs.com

© JMG éditions, 2003
ISBN : 2-7441-9253-8

Par un après-midi d'hiver gris et bruineux – le 20 janvier 1966 – je me retrouvai à Acton, dans la banlieue ouest de Londres, devant la porte d'une de ces maisons de brique qui se ressemblent toutes. Je venais interviewer pour mon journal, Ena Twigg, l'un des médiums les plus remarquables de toute l'Angleterre, en passe de devenir le plus célèbre.

Au bout d'une heure passée à répondre à mes questions, elle m'interrompit pour aller préparer le thé. Les bruits de faïence qui me parvenaient de la cuisine, de l'autre côté du couloir, furent tout à coup couverts par la voix de Mrs Twigg, engagée dans une conversation très animée.

Il n'y avait personne d'autre dans la maison lorsque j'étais arrivé. Quand elle revint en poussant une table roulante, je lui demandai si elle avait reçu une visite.

— Votre mère vient d'arriver, me dit-elle. Elle veut vous parler.

Ma mère était morte d'un cancer. Il y avait presque un an de cela, jour pour jour.

— Elle dit, déclara Mrs Twigg, que vous étiez très proches l'un de l'autre. Elle est juste derrière vous.

Nerveusement, je me retournai et jetai un coup d'œil. Je ne vis rien.

— Elle vous frappe doucement sur l'épaule, poursuivit Mrs Twigg. À présent, elle vous embrasse sur le front.

Je ne sentis rien.

Une foule de renseignements suivit. Sur ma mère, sur moi-même et toute ma famille. Ils étaient presque tous exacts. Puis Mrs Twigg me dit :

— Elle a amené le père de votre femme avec elle. Elle le connaissait très bien et l'aimait beaucoup.

Mon beau-père était hollandais. Il était mort en Hollande, d'un cancer également, trois semaines après ma mère.

— Elle dit, déclara Mrs Twigg, que vous avez dans cette petite maison-là la possibilité de faire un travail remarquable.

J'eus l'air ahuri.

— Vous allez vous rendre à Worthing.

Je n'étais jamais allé à Worthing et l'idée de m'y rendre ne m'était jamais venue à l'esprit.

— Tu es la seule personne de la famille qui écrive. Nous sommes extrêmement intéressés par ce livre. (Mrs Twigg me transmettait là le message de ma mère.)

Quelques minutes plus tard, elle me dit que mon beau-père désirait me parler. Une fois encore, elle transmit le message qui m'était destiné :

— Tu vas bientôt entrer en possession d'une charmante pendule. Tu vas être le porte-parole d'un grand nombre de personnes du monde invisible. Ta plume va écrire d'une encre indélébile... Tu as un bureau à toi, maintenant... La paix et le calme.

Ce soir-là, une fois les enfants couchés, seul avec ma femme, je relus les notes prises au cours de cette étrange conversation à sens unique. La plupart des affirmations furent facilement vérifiées. J'étais déconcerté par ce « bureau à toi ». J'en partageais un avec un journaliste et une secrétaire. Je n'étais pas au courant d'un éventuel changement.

— Ah, dit ma femme, en Hollande, ils emploient le même mot pour désigner le bureau et le lieu de travail.

Quand ma mère était morte, ma femme avait transformé sa petite chambre en bureau. Je pouvais y travailler dans le calme, loin des bruits de la télévision.

La référence faite au sujet du livre semblait encourageante. Une série d'articles que j'avais écrits sur la vie après la mort avait été publiée sous la forme d'un fascicule, à présent épuisé. J'envisageais de la remanier et d'en faire un petit livre.

La pendule et la visite à Worthing restaient un mystère.

Au mois d'avril suivant, la mère de ma femme mourut. Mon épouse et moi-même prîmes rendez-vous avec Ena Twigg en espérant que ma belle-mère viendrait nous parler.

Elle parla. Ma mère également : « Ainsi, tu as commencé un livre, dit-elle. Pas celui-là. Un autre. Nous t'aidons dans ton entreprise. »

Je continuai de réécrire mon fascicule et donnai les premiers chapitres à mon agent pour qu'il fasse une tentative auprès de quelques éditeurs. Aucun n'ayant paru intéressé, j'abandonnai mon projet. Quant aux notes que j'avais prises au cours de ces deux séances, je les classai et les oubliai.

En 1971, ma femme et moi, nous fîmes un séjour chez sa sœur, à Zeist, en Hollande. Nous étions en fait venus chercher quelques objets de famille : deux portraits et une pendule des fermiers de la Frise datant du XVIIe siècle.

Début 1972, je reçus à mon bureau un coup de fil d'un certain George Woods. C'était un spécialiste des problèmes métapsychiques, chez qui j'étais allé en 1960. Je lui avais rendu visite à Brighton à l'époque où j'écrivais mes articles sur la vie après la mort. Il m'avait fait écouter une bande qui, par le biais du médium Leslie Flint, était l'enregistrement de la voix de Cosmo Lang, archevêque de Canterbury, mort en 1945.

Je rendis à nouveau visite à Mr Woods en 1969, pour écrire un article à partir d'autres enregistrements en sa possession.

— Allez-vous revenir, me demanda-t-il en 1972, pour écrire un livre à partir de tous mes enregistrements, un compte rendu exhaustif de ce qui nous arrive après la mort ?

Je n'aurais pas un long voyage à faire. Il avait déménagé et s'était installé à quelques miles de Brighton, sur la côte. À Worthing.

Tout cela, brièvement, pour expliquer comment j'ai commencé à écrire ce livre. Je n'y ai joué qu'un tout petit rôle. Le travail avait été déjà fait par Woods et sa collègue, Mrs Betty Greene.

Ceci est leur livre. Et le travail de toute leur vie. Je ne suis que le dernier maillon d'une chaîne dont l'origine se trouve dans un monde invisible. Un porte-parole.

1

4 novembre 1960. Une pièce obscure d'un appartement londonien. Deux hommes et une femme sont assis ; ils attendent, comme ils le font chaque lundi matin depuis cinq ans, que quelqu'un veuille bien venir leur raconter une expérience que personne sur terre n'a jamais vécue mais que tout être humain vivra inévitablement un jour.

Le silence est rompu par une voix rauque et caverneuse, à l'accent cockney. Un magnétophone a été mis en marche. La voix se met à décrire les épreuves endurées par un simple soldat, quarante-trois ans auparavant, dans la désolation et la boue d'une tranchée des Flandres, dans l'enfer que nous appelons la Grande Guerre.

« J'étais une personne bien ordinaire, dit la voix. Ce que j'ai à dire n'est pas très important aux yeux des gens.

— Peut-on connaître votre nom ? demande la femme.

— Oh, mon nom ne vous dira rien. Je m'appelle Pritchett. Alf Pritchett. Ça vous dit rien.

« Ça devait être en 1917 ou 1918. Je ne suis plus très sûr moi-même. Il y a si longtemps de ça. Je me souviens que nous avons été bombardés pendant toute la journée et que je me suis dit à ce moment-là : Si on s'en sort, on aura bien de la chance. Puis, au petit jour, nous avons reçu l'ordre de passer à l'attaque.

« J'ai pensé : Ça y est, mon gars, t'y voilà ! Je dois

11

avouer qu'il m'a fallu tout mon courage pour sortir de la tranchée. Je me suis mis à courir. Quelques soldats allemands venaient à ma rencontre. Ils sont passés à côté de moi comme si de rien n'était. Au lieu de m'attaquer, ils sont passés à côté de moi sans me voir !

« Je me suis dit : Bon Dieu, je comprends pas ce qui se passe. J'ai poursuivi ma route. Je me souviens très bien avoir couru pendant longtemps. Et puis j'ai pensé : Bon, s'ils sont pas disposés à me voir, je ne vais pas m'en inquiéter. Je vais aller me planquer dans un petit trou quelque part par là.

« Je me souviens m'être caché dans un cratère provoqué sans doute par une bombe, où je me suis tout simplement allongé. Je me suis dit : Je vais attendre que tout ce merdier se termine. Le pire qui peut m'arriver c'est être fait prisonnier.

« J'étais couché là et je pensais : C'est quand même bizarre qu'ils ne m'aient pas vu. Ils auraient dû me voir. Et pourtant, ils sont passés à côté de moi. Je me suis mis à réfléchir à tout ça et puis je me suis dit : Oh, après tout, tant pis. Aucune importance.

« Je sais pas combien de temps j'ai pu rester dans ce trou. Peu importe. J'ai dû m'endormir, car je me souviens ensuite avoir vu une lumière très forte en face de moi.

« Je n'arrivais pas à comprendre ce qui se passait.

« C'était une lumière comme j'en avais jamais vu de ma vie. L'endroit où je me trouvais était comme illuminé. La lumière était si aveuglante que j'ai eu, pendant un moment, du mal à la regarder. Pour y arriver, il a fallu que je ferme les yeux à moitié. J'ai alors pensé : Ça doit être un tour que me joue la lumière. J'étais drôlement paniqué.

« Puis, tout à coup, j'ai vu une forme, une silhouette apparaître. C'était un être humain ; il était lumineux. Il a pris forme, peu à peu.

« J'étais en nage. C'était un de mes vieux amis. Je savais qu'il avait été tué quelques mois auparavant ; il s'appelait Smart, Billy Smart ! Nous l'appelions "Vieux Bill". Il m'a regardé et je l'ai regardé.

« Au bout d'un moment, j'ai senti que je me levais et ça m'a paru drôle de m'en rendre compte. Bizarrement, j'ai pensé : Je suis resté toute la nuit allongé dans ce trou – toute la nuit et tout le jour – je devrais me sentir plutôt raide, engourdi, mal à l'aise. Mais je ne ressentais rien de tout ça. J'étais aussi léger qu'une plume. J'ai pensé : Il m'est peut-être arrivé quelque chose à la tête. Je travaille peut-être du chapeau.

« Je suis allé vers lui comme si j'étais aimanté. En me rapprochant, j'ai vu qu'il était en pleine forme, plein de vie ; il avait une mine magnifique. Et puis, en me rapprochant un peu plus encore, il m'est tout à coup venu à l'esprit qu'il était mort !

« Quand je l'ai vu d'abord, je n'ai pas pensé qu'il était mort. J'aurais dû pourtant me souvenir qu'il avait été tué quelques mois auparavant. J'étais attiré vers lui. Il m'a souri ; je crois que je lui ai souri, moi aussi. Il m'a tendu la main. Je me suis senti un peu bête. Je sais que ça se fait de serrer la main de quelqu'un. Mais moi, là, dans cette tranchée, serrant la main d'un mort ! Ça m'a donné des sueurs froides. Mais qu'est-ce qui se passe ? Je dois rêver, c'est pas possible !

« Je l'entendais qui me disait : Du calme, pas de soucis à te faire. Tu vas bien, mon gars. Allez, viens.

« Je me suis dit : Alors, celui-là, il est complètement timbré. Il doit y avoir quelque chose qui cloche quelque part !

« Je lui ai pris la main et j'ai senti tout à coup comme un flottement. Je me suis retrouvé en l'air, lui tenant toujours la main. Ça m'a rappelé quelque chose que j'avais vu il y a des années – Peter Pan ou quelque chose comme ça. Quel drôle de rêve, j'ai pensé.

« Nous flottions dans l'espace. Je montais de plus en plus haut. Tout s'éloignait de plus en plus. Je pouvais voir au loin, au-dessus de moi, le champ de bataille, les canons, les lumières, les explosions. La guerre continuait, pas de doute. Et j'ai encore pensé : Vraiment, quel drôle de rêve !

« Je me souviens être arrivé ensuite en vue de ce qui semblait être une grande ville. C'était lumineux. C'est la seule façon de décrire ce que je voyais. Les bâtiments avaient une luminosité particulière. Bref, j'ai tout à coup senti que mes pieds touchaient à nouveau le sol. Plus bizarre encore, ça semblait solide. Je me souviens avoir marché le long de ce qui paraissait être une longue avenue bordée d'arbres magnifiques. Et, entre les arbres, il y avait des statues ou du moins ça ressemblait à des statues. Sur le trottoir – je crois que c'est comme ça que vous diriez – des gens déambulaient, bizarrement vêtus.

« Ils ressemblaient à des Romains ou à des Grecs, à ces personnages qu'on voit sur les images. Il y avait aussi de belles maisons à colonnades. Avec des escaliers majestueux. La plupart avaient des toits plats. Je n'ai pas souvenir d'avoir vu des toits et des pignons comme ceux qu'on rencontre en Angleterre. Ils semblaient être de style continental. Et cette même lumière émanait d'eux. Il y avait des tas de gens, des chevaux.

« Bill me parlait.

« — Bien sûr, tu sais ce qui t'est arrivé, n'est-ce pas ?

« — Qu'est-ce qui m'est arrivé ? Tout ce que je sais, c'est que je me paye du bon temps ici. C'est bien mieux que d'être là-bas, en bas, dans cet enfer. Je vais regretter de me réveiller.

« — T'inquiète pas, m'a-t-il dit. Tu ne vas pas te réveiller.

« — Qu'est-ce que tu veux dire ?

« — Tu as eu ton compte, mon p'tit gars.

« — Qu'est-ce que tu veux dire par là ?

« — Tu es mort.

« — Sois pas stupide. Comment je pourrais être mort ? Je suis ici. Je vois tout ce qui se passe autour de moi. Je te vois. Mais je sais que tu es mort il y a quelques mois. Tu t'es fait descendre. Mais comment ça se fait… Je sais pas. Il se peut que tu sois mort, mais moi je rêve.

« — Non, tu ne rêves pas. Tu es vraiment mort. Tu as été descendu au cours de l'attaque.

« — Jamais, j'ai dit. Comment est-ce possible ? Je ne serais pas ici, comme ça. Pas vrai ?

« — Justement. Tu es ici. Tu es mort.

« — Quoi ? Tu ne veux pas dire que c'est le paradis.

« — Pas exactement. Un aspect seulement.

« Je me suis demandé ce que le mot "aspect" voulait bien dire. Et tout à coup, j'ai compris.

« N'importe. Nous avons pris cette jolie route qui menait à la ville, nous sommes arrivés sur une espèce de colline. Devant moi se dressait ce qui avait l'air d'être un somptueux bâtiment. Il… comment le décrire ? Pareil à quelque chose que j'avais déjà vu dans la City, à Londres, mais en plus blanc et en plus beau.

« — C'est quoi cet endroit ? j'ai demandé.

« — Oh, a-t-il dit, tu viens ici pour rencontrer quelques-uns de tes anciens camarades. C'est ce que nous appelons un centre d'accueil.

« — Un quoi ?

« — C'est une espèce d'hôpital.

« — Mais je ne veux pas aller à l'hôpital. Je vais très bien. Je n'ai aucune raison d'y aller. De toute façon, je ne comprends rien de rien à tout ça.

« — T'inquiète pas. Ménage ton cerveau pour l'instant. Tu comprendras par la suite. Détends-toi et profite du moment présent.

« — C'est ce que je fais justement. De toute façon, c'est mieux d'être ici que là-bas en bas, dans cette fournaise.

« Nous avons donc marché vers ce bâtiment. Nous sommes entrés. Il y avait des tas de gens à l'intérieur. Le fait qu'ils étaient habillés comme tous les gens que j'avais connus, qu'ils portaient des costumes et ce genre de choses que j'avais moi-même porté, m'a particulièrement frappé.

« Je ne me souviens pas d'avoir vu le soleil. Il semblait pourtant qu'il y avait beaucoup de lumière. Les gens étaient assis et parlaient entre eux. Il y avait des tables et des chaises. Je n'ai pas vu un seul lit et je me suis dit que c'était un hôpital bien étrange. Peut-être d'ailleurs ce n'est pas un hôpital, j'ai pensé.

« Tout le monde avait l'air gai et joyeux. Certains parlaient, d'autres mangeaient. Ça m'a frappé. J'ai pensé : Je suis venu ici avec lui. Il m'a dit que c'était un coin du paradis. Ils ne devraient pas manger. Aussi, je lui ai dit :

« — Eh, regarde, ils mangent, là-bas.

« — Ce que tu n'arrives pas à comprendre, c'est que tu as le sentiment en arrivant ici qu'il est essentiel de faire certaines choses. Si tu penses que manger et boire sont des choses essentielles, alors tu peux manger et boire, à ton gré.

« Je me suis assis à une table où il y avait plusieurs personnes.

« — Tu viens d'arriver ? m'ont-ils demandé.

« — Oui.

« — On a entendu parler de ton arrivée, m'a dit l'un d'eux.

« — Qu'est-ce que tu veux dire ? Tu ne me connais même pas.

« — Que tu crois. Nous avons nos éclaireurs, tu sais. Nos assistants. Ils m'ont aidé, moi aussi. Ça ne fait pas longtemps que je suis ici.

« — Tu viens juste de t'installer ?

« — Oui. C'est très chouette. Bien mieux que tout ce qu'on nous racontait. Là-bas en bas.

« — Qu'est-ce que tu veux dire ?

« — Tu sais, toutes ces histoires sur le paradis et l'enfer, les trompettes du Jugement dernier et tout le saint-frusquin. Ouais. Ils n'ont rien pigé du tout.

« — Ça m'en a tout l'air.

« — Tu sais, toutes ces histoires, du genre : si tu agis bien, tu vas au premier étage ; si tu agis mal, tu vas à la cave. Ils ont tout compris de travers. Ici, nous sommes comme nous étions avant. En mieux, seulement. Tout à fait heureux. (Il a ajouté) : Demain, je m'en vais.

« — Quoi ? Où vas-tu ?

« — Voir mes grands-parents.

« Bien sûr, tout ça me paraissait plutôt dingue, mais j'ai pensé : Je ferais mieux de faire comme eux et de parler la même langue. Après tout, si je dois rester ici, comme ils le disent, vaudrait mieux que je me mette à l'unisson.

« Je lui ai donc demandé :

« — Et où sont tes grands-parents ?

« — On m'a dit qu'ils étaient dans la même zone, comme ils disent ici, mais plus loin. On m'emmène auprès d'eux.

17

« — C'est bien, ça. Et qui t'emmène ?

« — Mon guide.

« — Ton guide ?

« — Oui. Il y a un garçon très gentil ici. Il s'est renseigné sur ma famille et on l'a chargé de m'accompagner. À propos, tu as remarqué comme c'était étrange de flotter en arrivant ? Tu te sentais léger, hein ?

« — Oui, ça m'a paru un peu bizarre.

« — Eh bien, c'est comme ça que nous allons y aller. Nous n'allons pas marcher. Nous allons en quelque sorte… Je crois que certains diraient "voler". Tu as l'air de l'avoir bien supporté.

« — Que peux-tu faire d'autre ? On te dit que tu es mort. La meilleure chose à faire quand tu es mort, je crois, c'est de suivre les instructions et de te conduire bien. Après tout, tu ne sais jamais qui va te juger.

« — Allons, personne ne juge personne. À ce que je peux savoir, c'est toi qui te juges. Depuis que je suis ici, j'ai réfléchi. Je suis revenu sur le passé. Je me suis posé des questions. Tu te juges toi-même. Après tout, c'est ta conscience. J'en ai une, tu en as une. J'en suis certain. Nous en avons tous une.

« — Si je me souviens bien, ce que j'ai fait de plus moche dans ma vie a été de noyer un chat. Oh, une fois aussi, j'ai commandé un bock de bière et je l'ai pas payé parce qu'il y avait du monde dans le bar et que le garçon m'a oublié. Et moi, je me suis bien gardé de le payer. Mais je vois vraiment rien de bien méchant dans tout ça.

« — Tout va bien se passer. Tu verras. T'inquiète pas.

« — J'aimerais bien retourner voir mes parents, mes amis pour savoir comment ils vont. Je me demande s'ils sont au courant de ma mort…

« — Si tu veux retourner sur terre, c'est faisable. L'un

18

des garçons qui s'occupe de nous peut certainement t'arranger ça. Seulement, ça te rendra malheureux, je crois. Parce qu'ils ne se rendront absolument pas compte que tu es là. Et puis, quoi ? Tu peux toujours retourner chez ta femme ou aller frapper à la porte du vieux curé si le cœur t'en dit. Ils s'apercevront même pas de ta présence. Ils sont myopes comme des taupes. Tous autant qu'ils sont.

« Finalement, l'ami qui m'avait amené jusque-là est revenu et m'a dit :

« — Je veux te montrer quelque chose. Viens.

« — D'accord, j'ai répondu.

« Il m'a emmené dans une rue bordée de jolies maisons aux balcons fleuris. Au bout de la rue, il y avait une grande place avec une fontaine au milieu.

« J'entendais de la musique. Une musique merveilleuse. Et j'ai pensé : c'est vraiment bien. Ça me rappelait les jours anciens où j'allais m'asseoir dans le parc pour écouter jouer l'orchestre.

« Nous nous sommes assis sur un banc, sous un arbre.

« — Tu vas trouver cet endroit très reposant. Reste là. Je reviens tout de suite.

« Je suis resté assis, les yeux clos, à écouter la musique.

« Puis, tout à coup, j'ai eu le sentiment que quelqu'un était à côté de moi. J'ai ouvert les yeux et j'ai vu une très belle dame. Elle avait de merveilleux cheveux blonds et semblait avoir dix-neuf ou vingt ans. J'étais stupéfait.

« Elle m'a appelé par mon nom, et je me suis dit que c'était drôle. Elle connaît mon nom et je la connais pas !

« — Tu trouves l'endroit joli, n'est-ce pas ? m'a-t-elle demandé.

« — Très joli, merci… euh… mademoiselle.

« — Tu as pas besoin de m'appeler mademoiselle. Tu ne me connais pas ?

« — Non, je ne vous connais pas.

« — Je m'appelle Lily.

« — Lily ? Je ne connais pas de Lily.

« — Ce n'est pas tellement étonnant. Je suis ta sœur. J'étais encore un bébé quand je suis morte.

« — Bon Dieu ! Je me souviens, oui, que ma mère parlait d'une petite fille, morte alors qu'elle n'avait que quelques jours. Mais vous ne pouvez pas être elle. Vous êtes adulte.

« — C'est vrai. Je suis ta sœur. Je suis morte enfant, mais j'ai grandi ici.

« — J'en reviens pas.

« — Je vais prendre soin de toi, maintenant que tu es ici. Je vais t'emmener à la maison.

« — À la maison ?

« — Oui, à la maison.

« — Ça alors !

« Elle m'a entraîné loin de la place, le long d'une large avenue bordée d'arbres. Nous avons bifurqué, nous avons dévalé une pente et nous sommes partis dans la campagne. Nous sommes arrivés près d'une petite maison, tout à fait pareille à celles qu'on voit dans la campagne anglaise. Elle s'est arrêtée devant la petite barrière. C'est plein de fleurs magnifiques, j'ai remarqué, nous sommes entrés. Il y avait une chambre confortable et douillette d'un côté du couloir. De jolies chaises. Pas de cheminée.

« — Je vois que vous n'avez pas de cheminées, ici.

« — Non. C'est inutile. Il fait toujours chaud et beau.

« — C'est bien, non ? Vous n'avez jamais de pluie alors ?

« — Non, jamais de pluie. Mais nous avons de la rosée, parfois.

« Nous nous sommes assis et nous avons parlé. De ma mère, de mon père et de mon frère qui étaient encore sur terre. Elle m'a dit que, depuis sa tendre enfance, elle allait souvent les voir, qu'elle m'avait tenu compagnie pendant toutes ces années de guerre. Elle ne pouvait pas… Elle n'était pas avec moi au moment de ma mort. Mais elle avait tout préparé pour mon arrivée. Elle savait que je viendrais et qu'on me conduirait jusqu'à elle. J'ai pensé : ça, c'est bien. Puis, je me suis dit : c'est étrange. Mais je me suis installé chez ma sœur et je suis resté avec elle. Peut-être que je ferais mieux de revenir une autre fois pour vous raconter la suite. On me dit que mon temps est écoulé. Je dois m'en aller. Au revoir. »

La voix s'est éloignée et s'est tue. D'où venait-elle ? Pouvait-elle vraiment être celle d'un soldat tué durant la Grande Guerre ? Un registre de tous les soldats britanniques tués et enterrés sur les lieux des combats est tenu par la Commission des cimetières militaires du Commonwealth, à Maidenhead, Berkshire.

Pritchett n'est pas un nom courant. Une recherche dans les archives n'a permis d'en relever que quatre. L'un d'entre eux était le simple soldat A. Pritchett, matricule 9023, du régiment de mitrailleurs (Infanterie), tué en 1917 et enterré au cimetière militaire du château de Potijze, à un mile d'Ypres.

Était-il le propriétaire de la voix qui racontait l'histoire de sa mort ? Il nous avait donné un autre indice. Le nom de son vieil ami et guide : Billy Smart. Tué quelques mois auparavant, selon Pritchett.

Smart est un nom courant dans l'armée britannique. Il y a eu des centaines de Smart, tués au cours de la Grande Guerre et des dizaines d'entre eux se prénommaient William.

Un, et un seul d'entre eux, concorde avec l'histoire racontée par Pritchett : le simple soldat William Smart, matricule 20394, appartenant au même régiment de mitrailleurs (Infanterie) et tué en 1916 près d'Arras.

L'histoire de Prichett est l'une des cinq cents histoires, rapportées par l'intermédiaire du médium Leslie Flint, et enregistrées par George Woods et Mrs Betty Greene, de Worthing. Ce n'est que l'un des cinq cents comptes rendus – toute la bibliothèque – destinés à nous apprendre ce qui nous arrive après la mort.

2

Trois ans avant la mort d'Alf Pritchett, au début du mois d'août 1914, George Woods s'embarqua pour la France comme soldat du corps expéditionnaire britannique. Il avait vingt ans. Il était le fils, intelligent et non conformiste, d'un de ces propriétaires des comtés du centre de l'Angleterre qui, bien qu'infirme – il avait été piétiné et avait eu la cuisse broyée par les sabots d'un cheval – continuait de chasser à courre et de lire, chaque matin, les prières à sa femme, ses enfants et ses serviteurs.

Le jeune Woods avait surmonté son horreur des tueries, qu'elles fussent humaines ou animales, et avait rejoint le corps expéditionnaire parce que son père voulait qu'il en fût ainsi. Il se trouva mêlé à cette sanglante bataille que les livres d'histoire appellent la Retraite de Mons.

Dominés en nombre par les armées du Kaiser, les survivants de la petite armée britannique furent décimés. À la fin de la première bataille d'Ypres, quelques bataillons, constitués au départ d'un millier d'hommes, ne comptaient plus qu'un seul officier et trente soldats. Ce devait être une expérience que Woods n'allait pas oublier de sitôt.

Un incident le hanta pendant le reste de ses jours.

Un camarade de combat, mortellement blessé, lui murmura en s'agrippant à sa main :

— Existe-t-il un au-delà ? Que va-t-il m'arriver ?

— Oui, répondit-il avec une confiance qu'il ne ressentait pas lui-même.

L'homme mourut. Woods posa la question à l'aumônier du régiment.

— Que va-t-il arriver, mon père, à tous ces pauvres garçons qui se font tuer ?

— Nous devons croire en la Bible, répondit l'aumônier.

— Quelqu'un est-il jamais revenu pour nous prouver l'existence d'un au-delà ?

— Personne, dit l'aumônier. Sauf Jésus.

Woods devait faire partie des soldats les plus chanceux. En 1915, il fut blessé à la tête et perdit la vue. Au bout de six mois passés à l'hôpital, il recouvra la vue de l'œil droit. Il ne devait jamais plus pouvoir se servir de son œil gauche. Ce fut la « Bonne Blessure ». Il fut réformé.

En 1916, il revint aider son père à gérer les nouvelles terres acquises, une ferme de quatre cents acres à Hardwicke, près de Aylesbury dans le Buckinghamshire. Mais les épreuves endurées avaient fait naître en lui une ambition beaucoup plus grande : résoudre la question à laquelle l'aumônier du régiment n'avait pas su répondre. Que nous arrive-t-il après la mort ?

Pendant les années vingt et une bonne partie des années trente, il essaya toutes les sectes de l'Église chrétienne pour voir si elles pouvaient lui offrir la réponse propre à satisfaire sa soif de preuve et de vérité.

En vain.

Les années trente touchaient à leur fin. Son père était mort. L'agriculture était devenue une lutte désespérée. Il vint s'installer à Croydon, dans la banlieue sud de Londres, avec sa femme et son fils, Nigel, qui se remettait d'une méningite. Peu de temps après, passant devant un bâtiment de brique rouge, une affiche attira son regard : Venez écouter parler les morts.

Le dimanche suivant, voulant tout essayer au moins une fois, il se glissa à l'intérieur du bâtiment et s'assit dans un coin discret, près de la porte, pour assister à son premier service spiritualiste.

Le service – et une séance de voyance – ne lui firent que peu d'effet. Il s'apprêtait à s'en aller quand la femme qui officiait, annonça :

— Je veux m'adresser maintenant au monsieur qui est dans le fond de la salle.

Avec un frisson d'horreur et de gêne, il comprit que c'était lui qu'elle désignait du doigt.

— J'ai votre père, ici, dit-elle. Son nom est William Woods ; il est infirme. Il a eu un accident quand il était sur terre. Il dit qu'il veut parler à son fils George. Il dit qu'il vivait à Hardwicke. Il dit aussi qu'il s'inquiète beaucoup pour la santé de votre fils, Nigel. Il devrait aller au lit plus tôt, sinon il va faire une rechute.

Woods était stupéfait. Était-ce une farce ? Une super-cherie ? Comment une femme qu'il n'avait jamais rencontrée de sa vie pouvait-elle être en possession de tels renseignements ? Était-il possible que son père fût revenu de l'au-delà pour répondre à sa question ? Il ne savait plus où il en était. En rentrant chez lui, il ne put penser à rien d'autre. Pour la première fois de sa vie, il tenait une piste.

Il commença ses recherches en entrant en contact avec la *Société d'Études psychiques*. Là, il rencontra un homme qui l'aida à naviguer dans les eaux encore mal connues du domaine métapsychique.

Le révérend Drayton Thomas, pasteur méthodiste, avait rejoint un groupe d'ecclésiastiques audacieux – dont se méfiaient les prêtres orthodoxes – unis par le désir de faire quelque chose pour ranimer l'attrait faiblissant du christianisme orthodoxe. Ils ne savaient pas encore très bien quoi. Toutefois la plupart d'entre eux, missionnaires spiritualistes, commençaient à croire que si la résurrection du Christ vieille de 1900 ans, avait perdu de son pouvoir, elle devait reprendre force grâce aux communications faites, au XXᵉ siècle, par ceux qui étaient morts à notre époque.

C'était une tâche ardue. Aujourd'hui, la Congrégation des Églises pour les Études spirituelles et psychiques peut tenir des séances avec l'appui total des évêques de l'Église d'Angleterre et des dirigeants méthodistes. En 1945, l'archevêque Lang venait de « classer » le rapport de sa propre commission sur le spiritualisme. Les prétendues communications faites par les morts ne pouvaient être que l'œuvre du diable. Drayton Thomas présenta Woods au plus grand médium de toute l'Angleterre.

Leslie Flint possédait, disait-on, un don exceptionnel et étrange : la possibilité d'attirer les esprits des morts, et de leur fournir une substance appelée ectoplasme que ceux-ci prenaient dans son corps ou ceux des consultants ; une substance qui leur permettait de donner forme à une réplique de leurs cordes vocales – un capteur de voix, ou microphone éthérique.

Grâce à ce « dispositif », situé à un mètre environ au-dessus de la tête du médium, un esprit – avait-on dit à Woods – pouvait transmettre ses pensées. Par un processus qu'aucun homme de science ne parvenait à expliquer, l'esprit créait des vibrations qui lui permettaient de parler, comme par téléphone, d'une voix pratiquement identique à celle qu'il avait eue sur terre.

Woods vint assister à l'une de ces séances. Plusieurs voix – disant être celles de proches parents – lui adressèrent la parole. D'après le ton de ces voix, les informations qu'elles lui donnèrent, Woods put formellement attester qu'elles étaient authentiques. Il venait de trouver la réponse à sa question. Sa mission semblait toucher à sa fin.

En fait, elle ne faisait que commencer.

3

Communiquer avec les morts reste toujours sujet à caution. Ceux qui pensent que la mort est la fin ultime ne voient dans ces communications qu'un simple tour de passe-passe frauduleux.

Les chrétiens orthodoxes, eux, pensent qu'elles sont l'œuvre du diable. Les spécialistes en parapsychologie, personnellement convaincus de leur réalité, les envisagent selon la manière dont elles se produisent et classent les médiums en deux catégories : les mentaux et les physiques.

Les médiums mentaux sont la variété la plus courante. Ils opèrent par « clairvoyance » – don de voir les esprits, invisibles pour des gens normaux – ou par « clairaudience » – don d'entendre les voix des esprits, inaudibles pour des oreilles normales. Les médiums les plus doués, comme Ena Twigg, opèrent en combinant les deux modalités. Les médiums affirment voir ou entendre le message des esprits, invisibles ou inaudibles pour les gens de l'assistance ; ils les interprètent et les traduisent avec leur propre voix. L'exactitude du message dépend de l'aptitude du médium à l'interpréter.

La médiumnité physique est plus rare et ne laisse pas place à l'interprétation ou au hasard. Le médium ne voit ni n'entend. Il ne reçoit aucune impression et n'a pas un seul instant besoin d'ouvrir la bouche. Il peut être tout aussi efficace qu'un spectateur passif ou endormi. Sa seule contribution – mais elle est essentielle – est d'être en possession d'une grande masse de substance ou force de vie appelée ectoplasme, que chaque être humain possède plus ou, moins, à des degrés divers.

Une photographie en infrarouges d'une séance par voix directe fait apparaître des cordons ectoplasmiques produits par le médium et, à un degré moindre, par les consultants. Tous ces cordons se rejoignent pour former un halo brumeux à quelques dizaines de centimètres au-dessus de la tête du médium. Ce halo constitue un capteur de voix et se veut une réplique des cordes vocales humaines. L'esprit transmet ainsi ses pensées, par vibrations à basse intensité. Par un processus étrange, que la science ne parvient pas à expliquer, les pensées émergent du capteur sous la forme d'une imitation médiocre de la voix que l'esprit avait lorsqu'il vivait sur terre.

Telle est la théorie expliquée par les esprits eux-mêmes qui utilisent ce dispositif non sans mal pour nous parler, à nous qui sommes sur terre.

Nous verrons plus tard les expériences pratiques servant à porter un jugement sur cette théorie.

Jusqu'en ce jour de 1945 où George Woods eut sa première séance avec Flint, quelques témoins seulement avaient assisté à ces communications par voix directe. Les comptes rendus de ces séances ne s'appuyaient que sur la mémoire des participants ou sur les notes prises dans l'obscurité et étaient traités par tout le monde – à l'exception des convertis, bien sûr – avec scepticisme ou incrédulité.

Un changement décisif devait avoir lieu juste après la guerre. Changement apporté par une invention, aussi importante aux yeux des médiums que l'avait été la presse à imprimer de Caxton pour la diffusion du livre : le magnétophone portatif.

Woods fit l'acquisition d'un des premiers modèles et l'apporta avec lui, à chaque séance. Il fut, pour la première fois, en mesure d'enregistrer tout ce que les voix disaient et de faire écouter les bandes à des amis intéressés. Ils purent ainsi entendre parler l'esprit aussi clairement que s'ils avaient été assis autour du médium.

Flint était déjà au summum de ses pouvoirs. Pourtant, jusqu'à ce qu'il publie son autobiographie, peu de personnes – en dehors des cercles spiritualistes – connaissaient son existence.

Son autobiographie contait l'histoire étrange, presque incroyable, d'un petit garçon, né dans un refuge de l'Armée du Salut, de parents qui ne s'entendaient pas et qui s'étaient très vite séparés après la naissance de l'enfant. Un enfant élevé dans la misère et isolé de ses petits camarades par l'effrayant pouvoir qu'il avait de voir des gens dont les adultes qui l'entouraient lui disaient qu'ils étaient morts.

Après avoir exercé toute une série de petits métiers, il s'était laissé entraîner dans un groupe spiritualiste, avait découvert son étrange don et avait été bientôt capable de donner des séances en voix directe, dans une salle de mairie, pour un cercle de clients toujours plus nombreux, au prix d'une guinée par personne.

À la fin des années trente, comme sa réputation avait grandi, des célébrités se rendirent dans son modeste logement, d'abord à St Alban's, puis dans la banlieue nord de Londres. Drayton Thomas et son groupe d'ecclésiastiques non orthodoxes, qui essayaient de faire accepter les recherches psychiques par le monde chrétien, firent de lui leur lien indispensable avec la vie éternelle, promise par le Christ.

À travers lui, disait-il, la reine Victoria avait pu envoyer des messages à sa dernière fille survivante, la princesse Louise ; Rudolph Valentino avait pu parler à Béatrice Lillie ; Leslie Howard avait pu prendre la parole lors d'une réunion publique présidée par le maréchal de l'armée de l'Air, Lord Dowding, et Mae West avait pu s'entretenir avec sa mère décédée, dans une chambre de l'hôtel *Savoy*.

Il avait déjà tout cela à son actif – la presse, sceptique, refusait d'en parler – quand Woods vint assister à ses séances, pour une guinée, comme n'importe quel autre client.

Mais Woods était différent des autres. Peu avant la première séance, au cours d'un trajet en autobus entre Croydon et Londres, il ressentit l'irrésistible besoin d'écrire. Il sortit un bloc-notes et un crayon. Sa main, contrôlée par quelque force invisible, couvrit si rapidement le papier qu'il en ressentit une immense fatigue. Quand le phénomène s'arrêta, il s'aperçut qu'il venait de faire, avec l'écriture de son père, un compte rendu philosophique de l'au-delà, aussi étranger à ses yeux qu'un livre qu'il n'aurait jamais ouvert.

Woods était un médium, lui aussi.

Il fit un voyage en Australie, en 1946. Quand il revint à Croydon, il prit rendez-vous pour une autre séance. Une voix se fit entendre. C'était un homme du nom de Michael Fearon. Il disait qu'il avait été professeur de biologie à Taunton Schoole juste avant la guerre et qu'il avait été tué en Normandie en 1944, quinze jours après le débarquement. C'était facile à vérifier. Woods parvint à retrouver la mère de Fearon et l'amena avec lui chez

Flint. La voix se fit entendre à nouveau et Mrs Fearon certifia que c'était bien la voix de son fils.

Woods assista encore à une autre séance. Cette fois, une voix de femme déclina son identité : Mrs Patrick Campbell, la grande comédienne édouardienne qui avait inspiré à Bernard Shaw nombre de lettres enflammées, et qui avait créé le rôle d'Eliza Doolittle dans *Pygmalion*. Elle avait un message pour Woods. Il allait rencontrer très bientôt une femme qui viendrait l'aider à faire connaître ses enregistrements dans le monde entier.

Sur le moment, Woods enregistra ce message – un parmi tant d'autres – sans faire très attention, comme si ça n'avait été que la prédiction de quelque chiromancienne. Il se consacra tout entier aux activités du groupe – écouter et discuter les bandes enregistrées lors des séances chez Flint – qu'il réunissait chez lui, tous les dimanches.

Les années passèrent. Il avait presque oublié ce message quand, en juin 1953, une femme l'appela au sujet d'une petite annonce qu'il avait passée pour louer un appartement dans sa maison de Barclay Road, à Croydon. Il venait justement de le louer à quelqu'un d'autre, mais, pour atténuer sa déception, il lui fit quand même visiter la maison, prit ses coordonnées en lui promettant de l'avertir si l'appartement devenait à nouveau libre. Cette femme s'appelait Mrs Greene.

Betty Greene était la fille d'un employé de banque de Croydon, qui avait pris sa retraite dans un village de pêcheurs de Cornouailles, Polperro. Elle s'était mariée, s'était séparée de son mari et gagnait sa vie comme secrétaire médicale à l'hôpital St John, au service de dermatologie.

Le premier lundi d'août, jour férié, elle passait dans Barclay Road et allait acheter ses journaux au kiosque, quand Woods, qui était dans son jardin, la vit et l'appela. Il lui dit qu'il avait donné congé à son locataire. Était-elle toujours intéressée par l'appartement ? Elle s'installa quinze jours plus tard.

Propriétaire et locataire devinrent très vite amis. Il lui prêta des livres et lui fit entendre les enregistrements de ses séances chez Flint. Elle écouta, stupéfaite, les conversations avec Michael Fearon, avec une jeune fille prénommée Rose, et reconnut l'accent américain d'une voix qui prétendait être celle de Lionel Barrymore. En décembre, Woods décida qu'elle était prête pour franchir l'étape suivante dans l'enseignement métapsychique – écouter les esprits qui parlaient grâce à la médiumnité de Flint.

Ils se rendirent à Londres pour assister à une séance réunissant cinq personnes. Les lumières furent éteintes. Ils restèrent assis pendant quelques instants dans l'obscurité à attendre. Une voix de femme, tout à coup, rompit le silence :

« Bonsoir.

— Bonsoir, répondirent en chœur les consultants.

— Comment allez-vous ? » demanda la voix.

Betty Greene reconnut l'accent cockney qu'elle avait entendu plusieurs fois sur une bande, à Barclay Road.

« Rose ? s'enquit-elle.

— Exact », répondit la voix.

C'était Rose, cette Londonienne qui gagnait autrefois sa vie en vendant des fleurs à la gare de Charing Cross.

Encouragée par toutes les questions de Mrs Greene, Rose se mit à faire un compte rendu détaillé de sa vie en cette autre existence. Sans un moment d'hésitation, elle répondit aux questions sur la campagne et les villes qui constituaient son nouvel environnement, les vêtements qu'ils portaient, les choses qu'ils faisaient, les relations qu'ils avaient entre eux. C'était plus que la preuve de l'existence d'un au-delà, preuve que Woods avait toujours cherchée. C'était un compte rendu journalistique concret sur la vie quotidienne d'un monde dont aucune des cinq personnes présentes ne soupçonnait l'existence véritable, peu de temps auparavant.

Pour Woods, c'était un nouveau pas. À partir de ce jour-là, Betty Greene devint une compagne indispensable, à chaque séance.

Le signe décisif lui parvint deux ans plus tard, en 1955. Une autre voix de femme se fit entendre. Très différente de celle de Rose. Riche, profonde, impérieuse : la voix de Dame Ellen Terry. De son vivant elle interprétait Portia ou Ophélie dans le *Hamlet* d'Irving. Reine du théâtre de l'Angleterre édouardienne, elle était morte en 1928.

Woods mit son magnétophone en marche, espérant recueillir un autre témoignage sur l'au-delà. Au lieu de cela, il enregistra une conférence qui allait donner une nouvelle signification à leur vie.

« Vous allez recevoir de merveilleuses communications, leur dit la voix de Dame Ellen Terry. Et je vous suggère de garder ces contacts le plus régulièrement possible, pour en accroître la puissance et rendre possible ce lien, volontairement instauré pour vos bandes… De ce côté, il y a des âmes qui ont très envie de profiter des possibilités qui leur sont offertes pour passer des messages et des informations concernant les mécanismes de la communication entre notre monde et le vôtre…

« Nous avons besoin de gens tels que vous, disposés à nous aider. Nous avons besoin de gens honnêtes sincères, prêts à donner un peu de leur temps…

« Les bandes que vous enregistrez nous donnent la possibilité de toucher de nombreuses personnes dans toutes les parties de votre monde… Nous ferons venir des âmes variées, de sphères variées, pour donner des conférences et parler avec vous. Vous nous êtes très précieux, car nous savons que vous êtes sincères… Nous savons que nous pouvons réaliser beaucoup de choses par votre intermédiaire. Tout dépend de ce contact régulier. Nous voulons que vous le mainteniez, que vous ne le rompiez pas. »

C'était un ordre auquel Woods ne pouvait désobéir. Il avait soixante et un ans. Le travail de sa vie était sur le point de commencer.

À raison d'un samedi par mois durant les cinq années suivantes, Woods et Mrs Greene prirent un train qui les menait d'East Croydon à la gare Victoria. De là, ils prenaient l'autobus 36, avec leur magnétophone, pour arriver à Paddington, à temps pour la séance de 11 heures. En 1960, ils s'installèrent à Brighton, puis en 1964, à Worthing. À partir de ce moment-là, ils prirent le Brighton Belle, leur magnétophone posé sur une table ou sur une banquette afin de lui éviter toute vibration.

Quand Flint cessa de travailler durant le week-end, Betty Greene changea de situation et en trouva une autre où elle travaillait le samedi mais qui lui laissait son lundi libre. Elle pouvait ainsi assister aux séances du lundi devenues bimensuelles.

La veille de la séance, ils regardaient très peu la télévision, évitant tout ce qui pouvait susciter des enchaînements d'idées. Durant le trajet en train, ils ne lisaient rien et essayaient simplement de faire le vide dans leur esprit.

Arrivés à l'appartement, ils étaient accueillis par les chiens de Flint et se dirigeaient immédiatement vers la pièce réservée à la séance. Ils installaient un micro sur un portemanteau au-dessus de la chaise de Flint, le reliaient au magnétophone posé sur la table, et effectuaient le branchement.

Une boîte en carton à trois côtés, spécialement confectionnée par Woods, était installée autour du magnétophone pour protéger Flint de la lueur qui permettait à Mrs Greene de voir que les bandes tournaient normalement.

Flint s'asseyait, annonçait la date, le nom des participants et du médium et éteignait la lumière. Ils restaient assis dans le noir, attendant que quelque chose se produise.

Dès qu'une voix se faisait entendre, Mrs Greene mettait la bande en marche et la laissait tourner jusqu'à ce que la conversation à deux voix soit interrompue par l'esprit, ou par Mickey, le guide de Flint, un vendeur de journaux à l'accent cockney, qui avait été renversé et écrasé par un camion. Il les avertissait que la force émanant de Flint et de Woods faiblissait.

Ils restaient quelques instants assis dans le noir, silencieux. Quand la lumière revenait, Flint avait l'air très fatigué ; Woods se sentait vide et parfois malade. Mrs Greene, la seule à ne pas posséder de pouvoirs métapsychiques, sortait indemne de ces séances.

Woods et Mrs Greene enlevaient la bande, rangeaient

le magnétophone, payaient le prix de la séance et s'en retournaient chez eux avec une pièce supplémentaire à verser à leur dossier.

Au bout de quinze ans, avec quelques interruptions dues à la maladie, ils se trouvèrent en possession d'une bibliothèque contenant cinq cents comptes rendus, vivants et clairs, détaillés et cohérents, décrivant le passage de cette existence à l'autre, et disant ce qu'est la vie dans cet autre monde, au-delà de la tombe, que les hommes appellent Paradis.

Les voix appartenaient à des gens qui déclaraient avoir vécu sur terre durant ce siècle ou le siècle précédent.

Des gens simples, comme Alf Pritchett, se contentaient de fournir des témoignages simples et concrets, de décrire ce que c'était que mourir et se retrouver vivant. Ils décrivaient également leurs rencontres, leurs nouvelles maisons, les jardins, les villes, les champs, la campagne, le temps qu'il faisait, les nourritures et les boissons qu'ils consommaient, leur sommeil, leurs travaux, ce qu'il advenait aux animaux sauvages et domestiques ; et enfin, pourquoi il leur était si difficile de revenir et de parler aux parents et aux amis, vivant encore sur terre.

De célèbres personnages décrivaient leurs réactions mentales, la façon dont ils avaient changé de point de vue, dans une existence où ils pouvaient penser librement, délivrés de tous les préjugés et de tous les critères hérités de ce monde.

Des acteurs comme Lionel Barrymore et Dame Ellen Terry, des écrivains comme Oscar Wilde et Rupert Brooke expliquaient comment ils avaient développé leurs talents créatifs et racontaient ce que faisaient maintenant Shakespeare et Bernard Shaw. Des théologiens et des guides spirituels comme Cosmos Gordon Lang et le Mahatma Gandhi s'efforçaient de dégager la vérité hors des dogmes de la religion établie.

Entre eux, ils avaient remplacé la peur de la mort physique par une loi nouvelle, naturelle, d'immortalité universelle. Et ils répondaient à certaines des questions que l'homme n'avait cessé de se poser depuis des millénaires.

4

À quoi ressemble la mort ?

La perspective, de ce côté-ci de la tombe, n'est pas très séduisante. La mort peut être effrayante, douloureuse, ou, si nous avons de la chance, rapide. Un sujet auquel la plupart d'entre nous évitent de penser.

Nous serions-nous trompés ? Le message qui nous vient de l'autre côté est différent : aucune inquiétude à avoir. Ce n'est que la transition naturelle, le passage d'une existence à une autre.

Aucune des voix, revenues pour décrire à Woods et à Mrs Betty Greene ce qui leur était arrivé, ne se souvient d'avoir eu peur ou mal. La plupart des gens ont mis beaucoup de temps à comprendre qu'ils étaient morts. Dans la majorité des cas, l'instant de la mort semble n'avoir été qu'un rêve se transformant insensiblement en une nouvelle réalité. Intellectuellement, très déconcertant ! Peu ou pas d'émotions ressenties. Les voix semblent seulement s'inquiéter du sort de ceux qu'elles laissent derrière elles. Pourquoi courent-ils en tous sens, si désespérés ? Pourquoi ne peuvent-ils se rendre compte que nous sommes toujours vivants, en pleine forme et heureux ?

Dès qu'un esprit – qui veut entrer en communication – parvient à maîtriser ses pensées et à les transformer en

41

paroles par le biais du capteur de voix, il se met habituellement à parler avec l'impatience du voyageur qui, au retour d'un long périple, téléphone pour faire part de ses premières impressions. Betty Greene saisissait toujours la première occasion pour poser sa question clef :

« Pourriez-vous nous dire quelle a été votre première réaction en découvrant que vous étiez mort ? »

C'est ce qu'elle fit lorsqu'une voix se présenta le 11 avril 1959 : George Hopkins, fermier du Sussex.

Au lieu de répondre à sa question, il se lança dans un long monologue sur la religion. Mrs Greene le laissa parler, attendant qu'il se taise.

« Monsieur Hopkins, finit-elle par dire, l'interrompant.

— Oui, ma mignonne ?

— Pouvez-vous nous dire dans quelles circonstances vous êtes mort ? »

Cette fois, il réagit.

« Oh, oui, répondit-il. Je peux vous raconter ça, tout de suite. Eh bien, j'ai eu une attaque ou quelque chose de ce genre. Je faisais les moissons. Je me suis tout à coup senti un peu bizarre et je me suis dit que c'était le soleil. Je me suis allongé, à l'ombre d'une haie. J'avais un petit peu sommeil. Je me sentais toute chose. J'ai dû m'endormir, m'assoupir plutôt. Et j'ai ressenti un de ces chocs, je ne vous dis que ça, mon petit. Je me suis réveillé, du moins je le crois. Le soleil s'était couché. Et j'étais là, du moins ce qui semblait être moi. Je n'arrivais pas à comprendre un traître mot de ce qui se passait, tellement j'étais ahuri. J'ai essayé de me secouer pour me réveiller. J'ai pensé : Alors, ça, c'est drôle ! Je dois être en train de rêver. Ça n'avait ni queue ni tête. Il ne m'est absolument pas venu à l'idée que j'étais mort.

« Peu importe. Je me suis retrouvé en train de marcher sur une longue route qui menait chez mon docteur. J'ai pensé qu'il pouvait peut-être m'aider. J'ai frappé à sa porte, mais personne n'a répondu. J'ai pensé : Je n'aurais pas cru qu'il était absent. Je voyais, en effet, des gens pénétrer dans la salle de consultation.

« J'ai vu un ou deux de mes vieux potes. Ils semblaient tous comme passer à travers moi. Personne ne faisait de commentaires à mon sujet. Je me suis dit que c'était vraiment bizarre. Je suis resté là un moment à essayer d'y voir clair et d'y comprendre quelque chose. Et puis j'ai vu quelqu'un arriver en courant sur la route et se diriger comme un fou chez le docteur. Il est entré sans attendre, en passant devant moi, devant tout le monde. L'instant d'après, je les ai entendus parler de moi. Je me suis dit : Mais qu'est-ce qu'il y a d'anormal ? Je suis là ! Et je les ai entendus dire que j'étais mort !

« Le docteur est monté dans sa voiture, et j'ai pensé : je sais pas si je suis mort, mais je ne peux pas être mort puisque je suis là. Comment pourrais-je, bon Dieu, être mort ? Puis je me suis dit que c'était drôle. Je me suis vu allongé. Mais quand vous êtes mort, c'est terminé. Vous êtes au paradis ou en enfer. J'étais certainement pas au paradis, en enfer non plus. J'étais là à les écouter parler. Peu à peu, je crois que l'idée que j'étais mort m'a traversé l'esprit.

« J'ai ensuite vu qu'ils soulevaient mon corps et qu'ils me ramenaient. Ils m'ont déposé dans la chapelle. Alors ça, je me suis dit, c'est le comble ! Je dois être mort ! J'avais entendu parler de gens en train de mourir,

43

et voilà que c'était mon tour à présent ! J'ai pensé que le mieux c'était d'aller voir le curé. Il devait sûrement savoir quelque chose.

« J'ai donc été au presbytère et j'ai attendu. Le curé est entré et est allé s'asseoir à son bureau. J'ai remarqué que rien n'était solide. Si je m'asseyais sur une chaise – j'étais d'une certaine manière assis et pourtant je ne l'étais pas – je ne sentais rien sous moi.

« Assis à son bureau, le curé écrivait des lettres. Je me suis mis à lui parler. Il n'a pas fait attention à moi !

« J'ai pensé : Il est comme les autres. J'aurais pourtant cru qu'il savait quelque chose. Je lui ai tapé sur l'épaule ; il s'est retourné comme s'il avait senti une présence derrière lui et j'ai pensé que j'allais rester là un petit moment. Je lui ai à nouveau tapé sur l'épaule. Il n'a absolument pas fait attention. Puis il s'est levé et s'est comme secoué. J'ai cru alors qu'il frissonnait. C'était pourtant une matinée tout à fait normale. Je ne voyais pas pourquoi il aurait eu froid. Enfin ! Il n'a pas du tout senti ma présence dans la pièce, et je me suis dit : Ça ne sert à rien de rester ici. »

George Hopkins est une âme simple. Du moins, son récit nous incite-t-il à le croire. Il est incapable, par formation ou par éducation, de comprendre, sans aide, ce qui lui arrive. Est-ce plus facile pour un intellectuel ?

En 1957, Woods et Mrs Greene attendaient que commence une des séances habituelles du lundi matin, quand le silence fut interrompu par une voix très distinguée :

« Bonjour. Je ne suis pas sûr que vous m'entendiez très bien.

— Si, répondit Woods. Nous vous entendons parfaitement. »

La voix poursuivit :

« Mon nom est Brooke. Rupert Brooke.

— Oh, mais c'est merveilleux ! » s'exclama Mrs Greene.

Woods se remit à penser à la guerre. Au début de l'année 1915, un sonnet du jeune poète lyrique avait fasciné toute l'Angleterre :

> Si je devais mourir, pensez à moi ainsi :
> Toujours existera une terre étrangère
> Qui à jamais restera un coin d'Angleterre…

Quelques mois plus tard, Brooke mourait dans une île de la mer Égée. Sa voix s'était tue. Elle désirait à présent parler dans cette pièce obscure d'un appartement londonien.

« On m'a suggéré de prendre contact avec vous. Je ne sais pas, à vrai dire, ce que je puis faire, ou de quelle façon je puis vous rendre service.

— Eh bien, dit Mrs Greene, puis-je vous le dire ? Peut-être cela vous aidera-t-il ? Nous aimerions savoir comment vous êtes mort et ce que vous avez ensuite ressenti. »

Brooke se lança dans un long monologue sur les difficultés de parler par l'intermédiaire de ce capteur de voix, puis se lança dans une digression, vague et obscure, pour décrire sa nouvelle vie et les problèmes rencontrés pour écrire de la poésie dans l'anglais des années cinquante.

« Désolé, finit-il par dire. Tout cela doit vous sembler bien embrouillé.

— Poursuivez, dit Mrs Greene d'une voix douce. Pouvez-vous nous raconter comment vous êtes mort ?

— Je suis mort pendant la Première Guerre mondiale, répondit-il. Ce fut tout à fait soudain. C'était comme si je vivais dans un corps qui n'était plus le même, tout en l'étant. En apparence du moins. Je n'arrivais pas à comprendre, à saisir tout simplement que j'étais mort.

« Tout semblait naturel et pourtant, le corps dans lequel je vivais me semblait étranger. Je ne sentais pas son poids. J'étais d'une légèreté incroyable.

« Je me pinçai et je fus surpris de constater que je ne sentais absolument rien. Cela m'inquiéta terriblement. Puis ça m'a fait un choc quand je me suis rendu compte que les gens ne me voyaient pas… J'ai alors pensé : Si je n'arrive pas à sentir quoi que ce soit lorsque je me pince, pourquoi une personne, vivant sur terre, devrait-elle me voir ? J'ai pensé que je devais me trouver sur une autre onde vibratoire, une onde inhabituelle aux gens vivant sur terre. Je pouvais les voir, mais ils ne me voyaient pas. Tout cela me paraissait bien étrange.

« Je me souviens parfaitement m'être assis au bord d'une rivière, m'être penché au-dessus de la surface de l'eau et ne pas m'être vu. Je ne pouvais voir aucun reflet de moi-même. J'ai pensé : Voilà une chose bien extraordinaire. J'ai un corps et il n'a pas de reflet. Je n'arrivais pas à m'y faire. Je suis allé voir différentes personnes que j'avais connues, j'ai essayé de leur dire que j'étais vivant et bien portant, mais elles ne se sont absolument pas rendu compte de ma présence. J'ai compris que ces gens ne pouvaient pas me voir parce que mon corps n'avait aucun reflet. Il ne pouvait pas leur apparaître solide. Il n'était pas sur le même système vibratoire. Il n'était pas de même nature que le leur. Il fallait que je

46

m'habitue à avoir un corps qui, malgré les apparences, était le même et qui, cependant, n'était pas un corps réel du point de vue terrestre. Je vivais donc dans ce que l'on appellerait je pense, un corps spirituel. J'étais cependant bien loin d'être spirituel. J'étais déconcerté, ahuri. »

L'approche du problème par Brooke était plus intellectuelle que celle de Hopkins ; sa stupéfaction, toutefois, était presque semblable. Tous les deux étaient morts de mort naturelle. Hopkins, d'une attaque cardiaque ; Brooke, d'un empoisonnement du sang. La mort violente est-elle différente ? Voici comment l'un des sept mille Anglais tués chaque année dans les accidents de la route raconta sa mort le 10 février 1964.

Ted Butler faisait les courses du samedi avec sa femme, à Leeds.

« ... Je traversais la rue quand, avant d'avoir eu le temps de dire ouf, quelque chose m'a heurté de plein fouet. C'était un camion. Je crois que le conducteur avait perdu le contrôle de son engin. Il m'a coincé contre un mur et s'en a été fini de moi.

« Aucun souvenir de souffrance.

« Je me souviens seulement, poursuivit-il, de quelque chose qui venait vers moi. C'est tout. Ça s'est passé extrêmement vite. »

Mrs Greene l'interrompit pour avoir plus de précisions.

« Qu'avez-vous ressenti ?

— Eh bien, répondit-il, je ne sais pas, à vrai dire. Tout ce que je sais, c'est que j'ai vu des tas de gens se pencher sur quelque chose qui gisait à terre. Je suis allé jeter un coup d'œil, comme les autres, et j'ai vu un être humain allongé, qui me ressemblait comme un frère jumeau. Je n'ai pas compris tout d'abord que cet homme, c'était moi. J'ai pensé que c'était une coïncidence. Ce type me ressemble, je me suis dit ; nous nous ressemblons comme deux gouttes d'eau. Je ne me suis pas apitoyé. Puis j'ai vu que ma femme était là, elle aussi. Elle pleurait comme une madeleine. Elle ne semblait pas se rendre compte de ma présence à ses côtés.

« Ils ont mis mon corps dans une ambulance où ma femme a pris place à côté d'une infirmière. Je suis monté et me suis assis près d'elle. Elle ne s'est pas rendu compte que j'étais là. Puis, peu à peu, j'ai compris que la personne allongée à l'arrière de l'ambulance c'était moi.

« Je suis allé à l'hôpital. Ils m'ont, bien sûr, mis à la morgue. Je n'ai pas du tout aimé ça. Je me suis sauvé, vite fait bien fait, et je suis rentré à la maison. Ma femme était là, Mrs Mitchen, notre voisine, essayait de la consoler. Je crois que ce fut l'épisode le plus atroce de toute cette histoire.

« Puis il y a eu l'enterrement. J'y suis allé, bien sûr. J'ai pensé en moi-même : Que de dépenses et de remue-ménage pour rien, puisque je suis là, moi. J'ai trouvé tout ça très touchant, mais ça me paraissait en même temps stupide puisque j'étais là, présent. Personne n'a fait attention à moi.

« Le vieux curé récitait la prière des morts. J'ai pensé : Si quelqu'un doit savoir quelque chose, c'est bien lui. Je me suis donc approché de lui et je me suis placé à ses côtés. Je n'ai pas arrêté de lui envoyer des coups de coude, mais il n'a pas fait attention à moi. Il a poursuivi, sans s'interrompre.

Et puis, il y a eu les fossoyeurs. Je connaissais l'un d'entre eux, le vieux Tom Corbett. C'était un sacré lascar. J'avais bu plus d'un bock de bière et m'étais payé plus d'un fou rire avec lui. Avec l'autre gars, il recouvrait mon cercueil et rebouchait la tombe. J'ai pensé : Voilà une drôle de façon de vous souhaiter la bienvenue, je ne reste pas ici avec ces gens-là, et je suis sorti du cimetière.

« J'ai dû tourner autour de la maison pendant bien des semaines, je crois. Une fois ou deux, j'ai pris les vieux tramways. D'abord, j'étais un peu perdu, mais il m'est arrivé de bien me marrer. Si les transports publics avaient su que je prenais leurs tramways sans payer ma place, ils y auraient certainement trouvé à redire.

« J'ai constaté ensuite que tous les gens qui prenaient ce tramway-là ne payaient pas leur place, eux non plus. L'une des premières conversations que j'ai eues fut avec une femme, assise à côté de moi. Elle avait l'air très gentille. Elle m'a dit :

« — Qu'est-ce que vous faites là ?

« J'ai pensé que c'était une drôle de façon d'engager la conversation. Je lui ai répondu :

« — Que voulez-vous dire par "là" ? Je pourrais être aussi bien ici qu'ailleurs.

« — Je sais, m'a-t-elle dit, mais vous devriez faire autre chose que de monter et descendre des tramways et des autobus, et que d'aller constamment embêter votre femme. Vous n'avez pas le droit d'agir ainsi.

« — Vous avez peut-être raison. Mais… et vous, où allez-vous ?

« J'ai, bien sûr, compris qu'elle était morte. Je me suis demandé ce qu'elle faisait dans la même galère que moi.

« — En fait, m'a-t-elle dit, j'ai pris moi aussi des tramways et des autobus ; j'ai cessé de monter, de descendre comme vous. Mais vous n'avez certainement pas remarqué ma présence, jusqu'à maintenant. J'attendais le moment propice pour vous tendre la main. »

Ted Butler avait atteint la fin du premier stade après la mort.

Il venait de rencontrer le guide qui allait l'emmener de ce monde dans l'autre.

5

GUIDE POUR L'AUTRE MONDE

Ted Butler était mort. Invisible pour les passagers, encore vivants, de cet autobus de Leeds. Il parlait à la première personne capable de le voir et de l'entendre, la première personne qui venait justement de lui offrir son aide.

« Que pouvez-vous faire pour moi ? demanda-t-il.

« — Vous ne croyez pas, lui répondit-elle, qu'il serait temps que vous abandonniez ces façons de vivre ? vos pensées vous retiennent ici. Vous désirez, certainement, faire autre chose que traîner sur terre. Personne ne fait attention à vous. Où est l'intérêt ? »

Butler se souvint de sa première conversation en tant qu'esprit.

« — Il y a du vrai dans ce que vous dites, ai-je répondu. C'est exact ; personne ne me remarque. Mais je trouve ça mieux que… de rester passif. De toute façon, je ne sais quoi faire d'autre.

« — C'est de votre faute. Votre état d'esprit vous retient ici. Si vous vous débarrassiez de vos pensées, si vous réfléchissiez à des choses plus élevées, vous seriez délivré. Je comprends bien que tout cela est dû en partie à la soudaineté de votre mort, aux vibrations qu'exercent encore les pensées de votre femme, de votre mère, de vos amis. Mais il faut que vous vous en détachiez. Venez avec moi.

« — Où allons-nous ?

« — Je vous emmène. Ne vous inquiétez de rien.

« — Nous descendons au prochain arrêt ?

« — Que voulez-vous dire ? Il n'est pas nécessaire d'attendre le prochain arrêt. Nous pouvons descendre quand nous voulons. Dès que vous aurez pris votre décision.

« — Je ne comprends pas.

« — Vous devriez savoir à présent que vous n'avez plus besoin de faire toutes ces choses : monter ou descendre à un arrêt. Vous n'avez plus à faire ce que les autres font. Vous faites tout cela par habitude. Il faut vous défaire de ça et comprendre que vous pouvez vous transporter où vous voulez, uniquement par la pensée.

« — Je ne savais pas.

« — Regardez, a-t-elle dit. Voici ma main. Prenez-la. Fermez les yeux et essayez de ne penser à rien. Faites en sorte que votre esprit soit vide.

« J'ai donc fait ce qu'elle me disait de faire. »

Ted Butler était sur le point de partir vers sa nouvelle demeure avec l'aide – automatiquement envoyée à tous ceux qui meurent – du guide pour l'autre monde.

Parmi toutes les voix enregistrées, peu semblent capables de franchir le pas d'elles-mêmes. Presque tous ceux qui quittent leur corps semblent liés à la terre, jusqu'à ce qu'un parent mort, ou un guide qualifié, les attire gentiment, les libère de leurs liens terrestres et les emmène vers l'inconnu.

George Hopkins que nous avons laissé devant le presbytère et qui se demandait pourquoi le curé ne le reconnaissait pas, semblait voué à une errance de plusieurs jours avant d'assister à ses propres obsèques.

« Ils ont porté, dit-il, mon corps dans sa petite boîte, jusqu'au vieux cimetière près de l'église. Ils m'ont mis en terre, là, avec la vieille. J'ai tout à coup pensé à Poll, ma femme. Je me suis dit : C'est drôle. Si c'est ça, être mort, alors je devrais la revoir. Où est-elle ?

« J'étais là, debout, et je les regardais m'enterrer. Après la cérémonie, je me suis mis à marcher dans l'allée, derrière eux. Voilà-t-il pas que ma femme venait à ma rencontre !

« Ce n'était pas ma femme, comme je l'avais connue dans les dernières années de sa vie. C'était ma femme, comme je l'avais connue quand elle était jeune. Belle, vraiment belle. Un de mes frères, mort à dix-sept ou dix-huit ans, l'accompagnait. C'était un beau garçon, aux cheveux blonds. Ils riaient, plaisantaient et venaient vers moi. J'ai pensé : Me voici et les voilà. Tout va donc très bien. Ils doivent savoir ce qu'il faut faire maintenant.

« Mon frère et ma femme ont été aux petits soins avec moi ; ils m'ont dit combien ils étaient désolés d'arriver en retard.

« — Nous savions que tu n'allais pas très bien, ces derniers temps, mais nous ne savions pas que tu arriverais si vite. Nous avons bien reçu le message, mais nous sommes désolés de n'avoir pas pu faire plus vite.

« J'ai pensé : C'est vraiment bizarre. Comment font-ils pour marcher ? Pour ma part, j'avais bien l'impression de marcher avec mes deux jambes comme je l'avais toujours fait, mais tout me paraissait plus léger. Il n'y avait plus aucune lourdeur dans mon corps, plus aucune douleur, plus aucune souffrance comme par le passé.

« Ils ont essayé de m'expliquer certaines choses, mais ils ne m'en ont pas dit beaucoup. Ils m'ont dit qu'il fallait que je m'adapte, que je m'installe dans ma nouvelle condition.

« Je leur ai répondu :

« — Vous parlez d'installation. Mais où est-ce qu'on s'installe, bon Dieu ? Personne, ici, ne semble faire attention à nous.

« — Oh, c'est bien vrai. Ne te soucie pas d'eux.

« Je leur ai parlé du curé.

« — Tu veux pas aller le voir. C'est bien la dernière personne à aller voir. Il en sait moins que les autres. Tout va bien. Ne t'inquiète pas.

« — Où allons-nous ?

« — Nous t'emmenons chez toi.

« — C'est où, chez moi ?

« — Nous ne pouvons pas te dire où ça se trouve exactement, mais nous pouvons t'y conduire et tu te rendras compte très vite que c'est chez toi. Tu reconnaîtras.

« — Comment est-ce que je reconnaîtrai ? J'y ai jamais été.

« — Si, si, tu y es déjà allé. Plusieurs fois dans ton sommeil. En fait, tu connais très bien l'endroit.

« Je me suis mis à penser : Bon, disons que je ne m'en souviens pas. Je faisais des rêves bizarres, très souvent. Une ou deux fois, je me souviens avoir rêvé d'un endroit très joli avec un merveilleux jardin. Mon vieux chien, Rover, était là. Il est mort, il y a des années de ça. Je me souviens même que je rêvais que je rêvais.

« — Non, ce n'était pas un rêve, qu'ils m'ont dit. C'était toi. C'était toi avec nous. Quand ton corps dormait, ton esprit voyageait librement avec nous.

« — Eh bien, tout ça m'a l'air sympathique.

« — Tu ne saisis pas que tu es différent ?

54

« — Je me sens différent. Je ne me sens pas vieux. Je ne ressens plus mes vieilles douleurs.

« — Tu t'es vu ?

« — Non, je n'y ai pas pensé.

« — Allez viens, on va te montrer.

« Je me suis dit que ça m'intéressait de me voir. Et puis, j'ai dit :

« — Je pourrais tout aussi bien me regarder dans une glace.

« — Oh, non, m'ont-ils dit. Pas dans une glace.

« Alors ils m'ont emmené vers ce qui semblait être un bel endroit, un merveilleux décor : de belles maisons, plus campagnardes que citadines. Ils m'ont entraîné vers l'une de ces maisons, au milieu d'un champ magnifique. C'était justement l'endroit dont j'avais si souvent rêvé. Je me trouvais là, comme dans mes rêves.

« Je me souviens m'être réveillé une fois aux premières lueurs de l'aube et m'être souvenu de mon rêve. Et j'ai pensé que c'était vraiment bizarre. C'était exactement la même chose ! »

Butler et Hopkins ont peut-être été, le temps de rencontrer leur guide, un peu malheureux. Avec Alfred Higgins, un peintre et décorateur de Brighton, l'accueil céleste semble avoir fonctionné plus rapidement.

Le 14 octobre 1963, il se présenta lui-même, à la manière habituelle. Betty Greene posa immédiatement sa question rituelle :

« Pouvez-vous nous dire, monsieur Higgins, comment vous êtes mort et quelles ont été vos réactions ?

— Je suis tombé d'une échelle, répondit-il rapidement. Je n'ai pas été tué sur le coup, mais je suis resté inconscient et suis mort après mon transfert à l'hôpital.

Bien sûr, ça s'est passé il y a longtemps. J'étais peintre et décorateur. Vous venez de Brighton, n'est-ce pas ?

— Oui, c'est exact, répondit Betty Greene.

— J'ai longtemps vécu à Brighton, dit Higgins.

— Pouvez-vous nous décrire vos réactions au moment de votre mort ? comment vous êtes-vous senti ?

— Comment je… quoi ?

— Comment vous êtes-vous senti ? Quelles ont été vos réactions au moment de votre mort ?

— Eh bien, quand j'ai compris ce qui m'arrivait, j'étais allongé sur une berge surplombant une rivière. Je n'y comprenais rien. Je n'arrivais pas à savoir où j'étais. Je ne reconnaissais pas l'endroit et ne comprenais pas comment j'avais bien pu arriver là. Puis j'ai vu quelqu'un venir à ma rencontre. Vêtu comme un moine, semblait-il. Mais je n'ai compris que plus tard que ce n'était pas un moine. L'homme portait une longue chasuble et semblait chaleureux, serviable, très jeune. J'ai pensé qu'il était bien jeune pour être moine. En fait, tout à fait sincèrement, j'ai pensé à ce moment-là qu'il ressemblait à Jésus. Du moins aux images de lui que j'avais vues. Mais j'ai, bien sûr, compris, après coup, qu'il n'en était rien. Il s'est approché de moi, s'est assis à mes côtés, et m'a parlé.

« — Ainsi tu es arrivé.

« — Arrivé ? Je ne vois pas très bien ce que vous voulez dire.

« — Tu ne sais donc pas où tu es ?

« — Non. Tout ce que je sais c'est que je ne reconnais pas l'endroit. C'est très beau, ici.

« — Tu es mort. Tu le sais ?

« — Quoi ?

« — Oui, tu es mort.

« — Je ne suis pas mort. Comment serait-ce possible ? Je ne serais pas capable de voir.

« Je me suis tâté.

« — Regardez, lui ai-je dit. Je ne suis pas mort. Je suis bien solide.

« — Ah, a-t-il répondu, des tas de gens croient qu'une fois morts, ils ne sont plus rien et vont au paradis ou en enfer. Le paradis n'existe pas, l'enfer non plus. Tu vis une vie aussi réelle – comme tu peux t'en rendre compte – que celle que tu as connue. La vie, au-delà de ce que tu appelles la mort, est un état d'esprit. Ta condition est, en ce moment, quelque peu déconcertante. Mais tu n'es pas malheureux et tu es – du moins tu le parais pour autant que je puisse en juger – parfaitement à l'aise. Tu sembles calme. Rien ne t'inquiète, n'est-ce pas ?

« — Non. Mais je commence à comprendre que ce que vous dites est vrai. Je dois cependant admettre que je m'inquiète un peu pour les miens. Ça a dû être un choc terrible pour eux. Je n'ai aucun souvenir de ma mort. Je ne me souviens de rien, en dehors de ma chute. Je me revois en train de tomber, et puis plus rien.

« — Bien sûr, a-t-il dit. Tu es mort à l'hôpital.

« — Ah oui ?

« — Tu aimerais retourner sur terre juste un instant pour revoir les tiens ? Tu crois que ça t'aiderait ?

« — Ce serait en effet intéressant. J'aimerais bien les voir.

« — Ils ne se rendront absolument pas compte de ta présence, tu sais.

« — Pourquoi ça ?

« — Parce qu'ils ne peuvent pas te voir. Et ils ne t'entendront pas non plus, si tu leur adresses la parole.

« — Alors, ça ne vaut pas tellement la peine de leur rendre visite, n'est-ce pas ?

« — À toi de décider.

« — D'accord, allons-y. Il est possible qu'Ada... c'est ma femme... que ma femme... elle pourrait... J'aimerais bien savoir comment elle va.

« — D'accord, allons-y. »

Parfois, peu de temps après la mort, qu'ils soient encore reliés à ce monde ou qu'ils soient à peine arrivés dans l'autre, les gens semblent éprouver le besoin urgent de rendre visite à ceux qu'ils aimaient le plus et qu'ils ont dû abandonner. On les prévient toujours que cette visite ne leur sera que de peu de réconfort. Pour eux comme pour les leurs. Ils reviennent sur terre pourtant, le plus souvent.

Il en fut ainsi pour Alfred Higgins.

6

Alfred Higgins avait décidé de rendre visite à sa famille avant de partir pour l'autre monde. Il se tourna vers son guide.

« Que devons-nous faire, maintenant ?

« — Tu n'as qu'à me suivre jusqu'au sommet de cette colline.

« J'ai grimpé au sommet de cette colline comme il me l'avait dit, et je suis arrivé à une route. Tandis que nous marchions, mon guide m'a dit : Prends ma main. Je me suis senti un peu bête, vous savez. C'est quand même étrange de prendre la main de quelqu'un, comme ça. Mais il a insisté et je l'ai donc prise. Dès que j'ai touché sa main, tout est devenu bizarre, tout s'est mis à disparaître progressivement. C'était comme si je m'endormais ; ce n'était pourtant pas le sommeil. Je ne comprenais tout simplement pas ce qui se passait autour de moi et en moi. Je crois que j'ai perdu conscience.

« Je me suis ensuite retrouvé dans notre cuisine. Je regardais ma femme. Elle était devant l'évier et épluchait des pommes de terre. Je me suis demandé si elle savait que j'étais là. Je l'ai appelée. Elle ne m'a pas répondu. Mon ami m'a dit :

« — Elle ne t'entendra pas, tu sais.

« — Que puis-je faire ?

59

« — Rien. Il est possible qu'elle sente ta présence. On ne sait jamais. Attendons un peu.

« Puis il m'a dit :

« — Concentre-toi sur elle. Pense très fort à elle. Aussi fort que tu peux. Pense son nom.

« C'est ce que j'ai fait. Et, tout à coup, elle a relevé la tête et a regardé autour d'elle. Elle a laissé tomber le couteau et la pomme de terre qu'elle était en train d'éplucher et s'est retournée. Elle avait l'air effarée, presque affolée. J'étais plutôt désolé de lui avoir fait peur. J'ai compris que c'était parce que j'avais essayé de l'atteindre par la pensée. Elle s'est précipitée sur la porte, a fait mine de l'ouvrir, puis est allée s'asseoir, a posé la tête sur la table et s'est mise à pleurer. Je m'en voulais vraiment. J'ai pensé : Oh, c'est terrible !

« — Ne t'inquiète pas, m'a-t-il dit. Elle ressent quelque chose. Elle sait intérieurement, mais ne comprend pas encore. Elle sait que tu es proche d'elle.

« — Si c'est pour la rendre aussi malheureuse, ce n'est pas la peine.

« — Ne te laisse pas impressionner. Ça arrive souvent. Ils ne savent pas avec certitude. On ne leur a jamais parlé de la vie après la mort. On ne leur a jamais rien dit des possibilités de communiquer. Mais elle arrivera à… elle ressent quelque chose… elle sent… elle sait, au plus profond d'elle-même.

« — Je ne peux rien faire ?

« — Non, rien. Ce n'est pas le moment. Tu dois attendre. Peut-être seras-tu capable de faire quelque chose, plus tard.

« — Alors, que fait-on maintenant ?

« — Je ne crois pas qu'il soit bon que nous restions ici. Il vaut mieux que nous rentrions.

« — D'accord. (J'ai ajouté) : J'aimerais bien aller ailleurs avant de rentrer. Si c'est possible.

« — Où ça ?

« — J'aimerais rendre visite à deux ou trois de mes anciens camarades.

« — D'accord.

« — Ça vous embête peut-être d'entrer dans un pub ?

« Il s'est mis à rire quand j'ai dit ça.

« — Ça ne vous embête pas, c'est vrai ? Ça me paraît quand même étrange de demander à un ange d'aller dans un pub.

« — Oh, nous allons souvent dans les pubs. De plus, je ne suis pas un ange.

« — J'avais cette impression, même si j'avais remarqué que vous n'aviez pas d'ailes.

« Il a éclaté de rire, à nouveau.

« — Bien sûr, nous n'avons pas d'ailes. C'est ce que pensent, depuis toujours, tous ces croyants qui vivent sur terre. Ils pensent que les gens qui meurent, les bons s'entend, s'envolent au ciel. Et ils sont, bien sûr, persuadés que la seule manière de s'envoler, c'est de déployer ses ailes, comme les oiseaux.

« Il avait un merveilleux sens de l'humour. Je me sentais si bien avec lui que je lui ai dit :

« — J'aimerais bien aller dans ce pub.

« — D'accord.

« J'ai pensé que ça allait quand même être difficile, car il ne savait certainement pas où se trouvait le pub ; je ne savais pas très bien, moi-même, comment faire pour y aller tout seul, dans l'état où j'étais : sans apparence physique, comme vous diriez.

« — Je sais à quoi tu penses, m'a-t-il dit. Pense seulement à l'endroit, ferme les yeux et nous y serons dans une seconde.

« Je me suis dit : Ça, c'est chouette. Il m'a tendu la main. J'ai pensé qu'il fallait que je la prenne à nouveau. C'est ce que j'ai fait.

« Je me suis retrouvé, l'instant d'après, accoudé au bar du pub. Il y avait là trois de mes anciens camarades. Je me suis approché d'eux. Je me suis souvenu de ce que mon guide m'avait conseillé de faire avec ma femme – me concentrer très fort.

« L'un de mes amis a porté un bock de bière à ses lèvres et j'ai pensé son nom, intérieurement. Il a brusquement reposé son bock sur le zinc, l'air complètement effaré.

« Il s'est retourné et a dit à mes deux autres camarades :

« — C'est drôle. Je suis sûr que j'ai entendu… je suis sûr d'avoir entendu…

« — Entendu quoi ?

« — Vous n'avez rien entendu ?

« — Non.

« Je crois qu'il se sentait ridicule.

« — Oh, a-t-il dit, ce n'est rien.

« Les autres se sont mis à rire et lui ont dit :

« — Qu'est-ce qui t'arrive ? Tu trembles ? Tu es nerveux ?

« Mais il m'avait bien entendu. Il avait entendu mes pensées. L'une des premières choses que j'ai comprises c'est que nous n'avons pas besoin de parler pour être entendus. Il suffit de se concentrer très fort. Il suffit de penser qu'on veut entrer en contact, qu'on veut faire quelque chose, et tout devient possible. On ne peut plus, bien sûr, le faire comme avant – par le biais de la parole. C'était ma première leçon, dans ma nouvelle vie. »

Alfred Higgins semblait avoir des difficultés à rompre et à s'en aller, même avec l'aide de son guide. Ce fut encore plus difficile pour un Londonien, du nom de

Harry, qui admit, en 1957, n'avoir trouvé ses seuls véritables moments de détente que dans les pubs.

« J'aimais bien boire, dit-il. Pour moi, prendre du bon temps, je l'avoue, c'était aller dans un pub et y rester jusqu'à ce qu'on me mette à la porte. Quand je me retrouvais sur le trottoir, je n'avais qu'une idée en tête : entrer dans un autre. »

D'après son compte rendu, cela semble avoir été une expérience plutôt frustrante. Mais il ne s'en inquiétait pas, au début.

« Quand j'ai passé l'arme à gauche, expliqua-t-il, je ne pouvais plus ni boire ni bavarder ; mais je me suis quand même payé de bons moments rien qu'en faisant la tournée des pubs, en voyant mes vieux copains, en les écoutant parler et en regardant les autres se payer un verre. »

Mais il en avait eu bientôt assez et avait décidé de combler ses lacunes et de visiter le monde.

« Il m'est tout à coup venu à l'esprit que si je pouvais être au pub *La Couronne et la Rose*, je pouvais tout aussi bien être à Tombouctou. J'ai donc décidé de faire le tour du monde. »

Cependant, voyager en liberté lui avait paru très vite ennuyeux sans personne à qui parler. Il se souvenait de son école du dimanche.

« On nous enseignait un tas de choses sur le paradis et tout le tremblement. Je n'étais ni heureux ni… J'en demandais plus, intérieurement.

« Puis je me suis rendu compte que quelqu'un me suivait. Je me suis demandé qui c'était. Je me suis retourné. Il n'y avait personne. Puis, un jour, je me suis dit qu'il fallait que j'aille au fond des choses. Je me suis dit que si je quittais cette routine, si j'arrivais à me stabiliser, si je me mettais à penser très fort à la venue et à l'aide de quelqu'un, ce quelqu'un viendrait et m'aiderait. Je suis donc allé dans un petit village du Suffolk, où j'avais vécu autrefois. Il se tut.

— Oui, dit Woods pour l'encourager.

— Poursuivez, dit Betty Greene. C'est extrêmement intéressant. »

Harry poursuivit, décrivit un arbre près d'un cours d'eau au bord duquel il s'asseyait, où il rêvassait enfant.

Puis il dit :

« Debout, devant moi, se tenait un jeune homme – vingt-trois ans environ, cheveux blonds, assez beau. Il portait un costume.

« Ce garçon me regardait et je le regardais. Nous n'avons pas dit un mot. J'ai cru que j'avais une hallucination. Ce n'était pas possible. Je n'ai pas proféré un mot ; lui non plus. Et pourtant j'ai eu comme l'impression, à un moment, que son esprit s'introduisait dans le mien. Il me disait quelque chose comme : À toi de décider, mon gars.

« J'ai pensé : Oui, à moi de décider, mais décider quoi ? Puis j'ai eu comme l'impression d'être hypnotisé ; je me suis levé ; il a reculé. Je me suis dit : L'imbécile, s'il recule encore un peu, il va tomber à l'eau. Il y avait ce cours d'eau derrière lui comme je vous l'ai déjà dit. Et je le suivais. Il est arrivé au bord de l'eau et j'ai pensé : Ça y est, cette fois-ci, tu es bon ! Mais non, il n'est pas tombé. Il s'est mis à marcher sur l'eau.

« Je sais pas pourquoi, mais au même moment, je me suis revu à l'école du dimanche. Je me suis rappelé Jésus marchant sur les eaux. Mais cet homme ne pouvait pas être Jésus. J'étais vraiment dans tous mes états. Je savais pas si j'avançais ou si je reculais. Lui, il reculait. Je le suivais, dans une espèce de transe. En fait, je me sentais un peu ridicule, mais je pouvais pas résister. Je ne pouvais pas faire marche arrière. Il fallait que je continue à le suivre.

« Tout à coup, comme si on m'avait poussé dans une saloperie d'ascenseur, je me suis mis à monter dans les airs ! Lui aussi, il était dans les airs. J'ai pensé : Bon Dieu, il faut que je ferme les yeux. J'étais dans un drôle d'état. J'ai eu l'impression, tout à coup, de flotter à des kilomètres de la terre. Tout semblait de plus en plus lointain – les cheminées des maisons, les cimes des arbres. Brusquement, nous avons atteint les nuages. J'ai vu un avion arriver droit sur moi. Oh, bon Dieu, j'ai pensé, j'espère que je me déplace plus vite que lui. Et puis, je me suis dit que, de toute façon, il pouvait pas me heurter puisque j'étais mort.

« Bref, j'étais avec ce petit gars. Nous flottions tous les deux dans les airs et nous montions de plus en plus haut ; nous nous rapprochions l'un de l'autre. Je peux pas expliquer cette sensation. Tout à coup, j'ai perçu le son d'une voix qui chantait dans mon oreille et j'ai perdu conscience.

« Puis je me suis réveillé, comme quand on sort d'un profond sommeil. Je me suis retrouvé dans une très jolie chambre. Oui, très jolie. Pas vraiment luxueuse, mais propre et confortable. Un lit, très bien, des draps frais. Tout était luisant et astiqué. La lumière entrait par la fenêtre. J'ai vu des oiseaux – je veux dire que des oiseaux chantaient à l'extérieur – et j'ai pensé : Où suis-je ? Je n'arrive pas à y voir clair. Ça n'a ni queue ni tête. Je ne comprenais rien à rien. Je me suis dit : Allonge-toi, détends-toi. C'est ce que tu as de mieux à faire. Ça ne sert à rien de s'affoler.

« Puis la porte s'est ouverte et, ô mon Dieu – on aurait

pu alors me faire tomber par terre en me frappant avec une plume – j'ai vu… ma mère ! »

Harry avait finalement compris et s'était habitué à cette idée. Tout le monde semble en arriver là, finalement. Mais son expérience personnelle n'était pas typique. Pour un citoyen, moyen, pour celui qui mène une vie normale, le voyage de ce monde dans l'autre peut prendre un peu plus de temps que celui qu'il effectue chaque matin en prenant le train de 8 h 20 qui le conduit de sa maison de banlieue à son bureau. Comme ce voyage, qu'un certain Mr Biggs du Buckinghamshire décrivit à Woods et à Betty Greene, en 1966, à la manière terre à terre et détaillée d'un officier de police faisant sa déposition devant un tribunal.

« Monsieur Woods ? commença-t-il d'une voix calme et naturelle

— Oui.

— Très bien, répondit la voix. Mrs Greene, c'est ça ? Très bien. J'ai beaucoup entendu parler de vous. »

Sa voix pouvait être celle d'un artisan de province ou d'un marchand sans beaucoup d'éducation, mais il possédait un don naturel d'expression.

« Vous enregistrez ce que je dis ?

— Oui.

— Très bien. Oui, des tas de gens m'ont parlé de vous. De Mrs Greene, également. Vous enregistrez des bandes, c'est ça ?

— Oui, dit Betty Greene.

— Et vous les faites écouter à des gens pour qu'ils sachent un peu ce qui se passe. C'est ça ?

— Exact. Vous pouvez nous accorder un entretien amical ? demanda Betty Greene.

— Moi ? Oh, ma pauvre dame ! Je suis pas le genre

d'individu qui peut accorder un entretien comme certains, ici.

— Vous ne pouvez pas quand même nous dire comment vous êtes mort et comment vous vous êtes senti ensuite ?

— Oh, pour ça oui, je suis mort.

— Ne pouvez-vous pas nous raconter quelles ont été vos réactions en vous découvrant soi-disant mort ?

— Si, si. J'étais assis sur une chaise et je lisais le journal du jour. Je me sentais un peu bizarre et je me suis dit que c'était drôle. J'ai ôté mes lunettes, je les ai posées sur la table et je me suis dit : Bon, reste calme quelques instants. Ça va passer. Ensuite, je me suis retrouvé là, assis, mais je n'étais pas là. J'étais debout, comme qui dirait à côté de la chaise et je me regardais ! J'ai pensé que c'était étrange. Très étrange. J'y comprenais rien du tout.

« Puis j'ai entendu qu'on frappait à la porte. J'étais debout et je me regardais, assis sur cette chaise. J'entendais quelqu'un frapper à la porte et je pouvais en même temps voir qui frappait. Pourtant, je restais là, toujours debout, planté au milieu de la pièce.

« C'était ma sœur. Elle vivait à quelques maisons de la mienne, en contrebas de la route. J'ai pensé : qu'est-ce que je vais faire ? Je peux pas ouvrir cette porte. J'étais vraiment affolé.

« On a continué de frapper. Je me suis énervé et je me suis dit que je rêvais, que j'allais me réveiller, ouvrir à ma sœur. Mais rien de tout ça n'a eu lieu. Et puis, je l'ai vue descendre la route. Elle avait l'air très en colère. Elle était agitée. Je ne sais pas, je me suis dit : Qu'est-ce que je peux faire ?

« Au bout de quelques minutes, elle est revenue avec

un agent de police. Pourquoi avait-elle été chercher un agent ? Pour quoi faire ? J'ai soudain compris. Bien sûr, elle ne pouvait pas entrer. Elle était peut-être inquiète ou furieuse contre moi.

« Et je peux rien faire, j'ai pensé. Je suis donc resté là, debout près de moi. Ça a l'air idiot de dire ça. J'ai pensé que si elle entrait et qu'elle me voyait affalé sur cette chaise, comme ça, elle allait avoir une attaque. Il fallait que j'essaye de me réveiller. Je me suis secoué comme un prunier. Mais il ne s'est rien passé. Qu'est-ce que je vais faire ? que je me suis dit.

« Finalement, l'agent est entré par la fenêtre. Je l'ai reconnu. Je l'avais vu plus d'une fois faire ses rondes. Il m'a fallu du temps avant de comprendre ce qui se passait. Il m'a secoué. Il croyait que je dormais, comme je l'avais cru moi-même. Rien ne s'est produit. Il a compris que j'étais mort. Il a ouvert la porte. Ma sœur, bien sûr, est entrée.

« Elle était dans un état incroyable. À cette époque-là, il me restait plus qu'elle. Ma sœur, May. Ils sont allés chercher le docteur. Le vieux Dr Foskett est arrivé. Mais il n'était pas assez calé. Je veux dire qu'il ne pouvait rien faire pour moi. C'était évident. J'ai compris que j'avais cassé ma pipe.

« J'ai essayé de calmer May, mais elle ne se rendait absolument pas compte de ma présence. Je me suis approché d'elle et j'ai mis ma main sur son épaule ; j'ai essayé de lui dire que j'allais bien, que ce n'était pas moi ce gars sur cette chaise, que j'étais là, debout à ses côtés. Mais elle n'a pas semblé sentir ni comprendre. Elle est restée comme ça, sur sa chaise.

« Puis le docteur est parti et ils sont venus pour emporter le corps. Ils l'ont trimballé comme un vieux sac de pommes de terre. Je ne vais pas les suivre, je vais plutôt rester ici, chez moi, je me suis dit. Je ferais mieux de m'asseoir maintenant que cette chaise est libre. Je me suis donc assis et j'ai essayé de revoir ce qui s'était passé. Ma sœur était partie. J'étais seul dans la maison.

« Tout à coup, la cheminée a comme disparu. Je peux pas décrire autrement ce qui s'est passé. Le mur a comme disparu et j'ai vu des champs merveilleux et verdoyants, des arbres et une espèce de… j'allais dire une rivière, mais c'était plutôt un ruisseau. Et je pouvais voir quelque chose… quelque chose qui venait de loin, dans ma direction. J'ai pas su d'abord ce que c'était. J'ai fini par voir. C'était une silhouette. C'était ma mère !

« Ô mon Dieu ! Elle ressemblait à la femme dont le portrait était suspendu au mur de ma chambre – ma mère, lors de son premier mariage. Elle est venue vers moi, à l'endroit où avant il y avait une cheminée ; elle m'a souri, aussi gaie qu'un pinson.

« — Viens, m'a-t-elle dit. Tu ne peux pas rester là. C'est inutile. Personne ne va se rendre compte de ta présence. Pas même May tu sais. Il faut que tu viennes et que tu restes avec moi.

« — Je ne comprends pas.

« — Tu sais, tout est fini, maintenant. Tu es mort. Tu sais que tu es mort ; tu ne vas pas rester là affalé sur cette chaise. Cette pièce… Tu vivais dans un drôle d'endroit !

« Elle a commencé à me parler de mon laisser-aller durant toutes ces dernières années. C'était vrai. Je vivais seul. Mon vieux chien était mort peu de temps avant, et je n'avais pas eu le cœur d'en prendre un autre. Je savais bien que je ne vivrais pas assez vieux pour le voir partir avant moi. Ça n'aurait pas été bien pour le pauvre animal.

« — Tu viens avec moi, m'a-t-elle dit. Mick est là-bas.

« — Mick ? (C'était mon chien.)

« — Oui, Mick. Nous nous en sommes occupés pour toi.

« — Oh, ça me ferait bien plaisir de revoir le vieux Mick.

« J'ai suivi ma mère. »

Mr Biggs était en route pour l'autre monde. Il est temps de le suivre pour savoir ce qui se passe à l'arrivée.

7

CONVERSATION AVEC UNE MÈRE

« Ça faisait drôle, continua Mr Biggs, de passer à travers ce qui avait été ma cheminée et de marcher dans cette merveilleuse campagne. Tandis que nous avancions, ma mère m'a raconté un tas de choses.

« — Comment va papa ? ai-je demandé.

« — Oh, je le vois de temps en temps. Je ne vis pas avec lui, tu sais ; nous sommes séparés.

« Je savais, bien sûr, tout ça. Ils s'étaient jamais très bien entendus.

« — Je le vois, mais je vis avec les miens.

« Elle voulait parler de sa mère, ma grand-mère, et aussi de Florrie, sa sœur préférée, morte il y avait bien des années alors que j'étais encore enfant.

« — Florrie et moi, a-t-elle dit, on était comme les deux doigts de la main. C'est pareil, aujourd'hui, dans tous les sens du terme. Tu sais combien j'ai été bouleversée quand elle est morte.

« — Je me rappelle très vaguement. J'étais un môme.

« — Nous allons bien toutes les deux et nous travaillons à l'hôpital.

« — Où ça ?

« — Nous travaillons, à l'hôpital.

« — À l'hôpital ? Vous avez des hôpitaux ? Vous n'en avez pas besoin si vous êtes morts. Vous ne souffrez plus de rien. Pourquoi que vous auriez besoin d'hôpitaux ?

« — Oh, c'est pas le même genre d'hôpital. Mais ils sont utiles à certaines catégories de personnes qui ont des problèmes mentaux, qui ont besoin d'aide et de soins. C'est un travail intéressant ; je suis heureuse de le faire. Je m'occupe également des jeunes, parce que… tu sais, ton frère, Art, je le vois souvent. Nous sommes très proches.

« — Art ? Je ne me rappelle pas avoir eu un frère qui s'appelait Art.

« — Oh, non. Tu peux pas t'en souvenir, car il est mort très jeune, avant ta naissance.

« — Oh, je me souviens vaguement de ça.

« — Oui, il est mort enfant, mais il a grandi depuis.

« — Ça ne veut rien dire pour moi.

« — Un tas de choses ne voudront rien dire pour toi tant que tu n'auras pas passé suffisamment de temps ici. Tu t'habitueras et tu comprendras. Ces choses ne viennent pas tout de suite. Tu devras être patient.

« — Et pour mes affaires, à la maison ? Qu'est-ce qui va se passer ?

« — Je t'en prie, ne t'inquiète pas de ça. De toute façon, elles valent plus grand-chose.

« — Je sais pas. Elles ne valaient peut-être rien pour toi, mais pour moi elles comptaient. Après tout…

« — Je t'en prie, ne pense pas à tout ça. Essaye de chasser ça de ta tête.

« — Si je dois avoir un enterrement, je ferais quand même mieux d'y assister.

« — Ne parle pas de ça maintenant. Nous verrons.

« — D'accord. J'aimerais quand même bien savoir qui va y assister. Je pense pas qu'il y aura beaucoup de monde, mais mon vieil ami Alfie sera sûrement là.

« — Oublie tout ça, allons.

72

« Elle me cassait les oreilles en me racontant un tas de choses. C'est drôle ce que je viens de dire, car en fait elle n'ouvrait pas la bouche. J'ai brusquement compris qu'elle me parlait, mais sans rien dire. Aussi, je me suis arrêté.

« — Allez, viens, m'a-t-elle dit.

« — Mais je ne comprends pas. Tu me parles et tes lèvres ne bougent pas. Tu es comme un ventriloque. C'est drôle, non ?

« — Tu apprendras très vite à parler avec tes pensées. Après tout… Tu reçois bien ce que je te dis. Tu m'entends, n'est-ce pas ?

« — Oui, mais, en fait, tu ne parles pas. Du moins, il n'y paraît pas.

« — Tu t'y habitueras très vite. Allez viens. Te fais pas de soucis. Tu comprendras beaucoup de choses, dans très peu de temps.

« J'étais vraiment ahuri.

« Puis nous sommes arrivés sur un pont. Ce pont me semblait bizarre. Nous le traversions et je me suis dit – je ne me rendais pas compte qu'elle pouvait m'entendre quand je me parlais à moi-même – oh, c'est celui qui se trouvait à cet endroit où nous allions, quand on était des enfants.

« — C'est vrai, m'a-t-elle dit.

« — C'est drôle. Comment ce pont peut-il se trouver ici ? Comment est-ce possible, si je suis mort ? Celui que je me rappelle se trouvait près du vieux village.

« — Tu vas comprendre. Nous avons ici la réplique, le double de tout ce que nous avons connu. Je t'amène là parce que ça doit te rappeler des tas de bons souvenirs et ça va t'aider. Tu te rappelles le petit village, et les gens et tout ça ?

« — Oui !

« — Eh bien, c'est ici.

« — Comment est-ce que ça peut être ici ? C'était dans le Buckinghamshire, il y a des années de ça.

« — C'est vrai. C'est le même village et en même temps ce n'est pas le même. Mais il sera aussi réel pour toi que l'endroit que tu as connu.

« — Je ne pige rien. Je laisse tomber.

« — Tu comprendras, mon garçon. T'inquiète pas. (Puis elle a dit) : Nous allons chez May.

« — Chez qui ?

« — Chez May.

« — Tante May ?

« — Oui.

« — Elle est morte il y a longtemps.

« — Bien sûr. Moi aussi. Tu l'as oublié ?

« — Oh, bon Dieu, non !

« Quand j'y repense, je ne savais vraiment plus ce que je disais, la moitié du temps.

« — Nous allons voir May.

« — Elle vit dans le village ?

« — Oui. Elle y habite toujours.

« — Ça n'a pas de sens.

« — Au début, rien n'aura de sens pour toi, jusqu'à ce que tu aies vécu un bout de temps ici. May était heureuse au village. Elle aimait sa petite maison. Tu te souviens de sa maison, la dernière de la rangée ?

« — Je me souviens très bien.

« — Tu vas voir par toi-même.

« C'était comme si j'avais fait marche arrière, comme si j'étais retourné dans le passé. La petite maison était toujours là. L'une des quatre dernières, au bout de la rangée. Un mur de brique très bas, un petit jardin dont mon oncle était si fier. Oh, c'était bien beau. Toutes ces roses trémières, ces fleurs. Le jardin était comme il l'avait jadis aimé. Et ils étaient là, lui et ma tante, debout sur le seuil.

« Mais… oh, oui, il était différent, mon oncle. Il avait toujours été un homme de grande taille, mais il avait vieilli et s'était ratatiné. Il était là, à présent, grand et droit comme un if. Jeune et pimpant. Ils étaient tout heureux de me voir. Ils m'ont entraîné à l'intérieur, m'ont fait asseoir. Tout reluisait comme un sou neuf, comme un jour de printemps.

« Ça m'a brusquement rappelé quelque chose. J'ai pensé : Si c'est une journée d'été, je ne sens pas la chaleur ; pourtant, c'est comme une journée d'été. Je vois pas le soleil et pourtant il y a cette jolie lumière. Et je leur ai dit mes impressions là-dessus.

« — Oh, m'ont-ils répondu, nous avons ni trop froid ni trop chaud. La lumière est toujours très plaisante… Voudrais-tu boire une tasse de thé ?

« J'en suis resté par terre quand j'ai entendu ça.

« — Charriez pas ! Si je suis mort, n'allez pas me dire que vous pouvez me préparer du thé.

« Ma tante s'est mise à rire et a dit :

« — Tu comprendras bientôt, comme te l'a déjà certainement expliqué ta mère. Quand tu arrives ici pour la première fois, tout te semble familier, pour que tu te sentes gai, à l'aise. Si tu désires quelque chose, tu peux l'avoir. Mais tu te rendras très vite compte que toutes ces choses ne sont pas nécessaires. Mais si tu veux une tasse de thé, nous allons en prendre une bien vite.

« — J'aurais jamais cru qu'il était possible de boire du thé quand on était mort.

« — Je ne vais pas me mettre à discuter avec toi. Je vais chercher le thé.

« Elle est sortie et est revenue aussitôt avec une théière. C'était la même, celle dont je me souvenais. Un vieux pot brun, au bec cassé, qu'elle avait depuis des années. Elle avait toujours le même couvre-théière, celui qu'elle aimait tant et qu'elle avait tricoté elle-même.

« — Ne me dis pas que tu as amené ça… Tu n'as pas emporté la théière avec toi quand tu es morte ?

« — Non. Mais j'ai été tout aussi surprise que toi, quand je l'ai trouvée ici. Bien sûr, tu peux emporter avec toi tout ce qui te paraît important, tout ce qui a de la valeur à tes yeux, si tu y penses très fort. Tant que tu y penses très fort, du moins. Si tu cesses d'y penser, si tu cesses de croire que ces choses te sont nécessaires, alors elles cessent d'exister pour toi. Elles existent aujourd'hui parce que tu es là, que tu repenses au passé, aux jours où tu venais nous voir et où nous prenions le thé ensemble. Tu te souviens de ce plateau orné de fleurs ?

« Il était là, également.

« — Tu veux dire que tu as apporté tous ces objets avec toi ?

« — Non, mais nous les avons, quand nous y pensons très fort. Puisque tu venais, nous nous sommes dit que ça te mettrait à l'aise, que tu te sentirais chez toi. Mais dès que nous cesserons d'y penser, nous n'en aurons plus besoin.

« — Je ne pige vraiment rien.

« Pendant tout ce temps, vous savez, ma sœur continuait à vivre sur terre, à pleurer toutes les larmes de son corps. Des larmes de crocodile, je pense. En fait, elle n'avait pas beaucoup d'affection pour moi. Elle avait simplement le sentiment que c'était son devoir. C'était pas une mauvaise fille, mais elle en avait un peu marre d'une certaine manière… je dirais plutôt, vous en déplaise, qu'elle en avait ras le bol de son pauvre type de frère.

« J'ai pensé à mon enterrement.

« — Je crois qu'il faut que j'y assiste. Vu que je suis mort, il faudrait quand même que je me cache sous un déguisement.

« Ma mère a éclaté de rire et m'a dit :

« — Qu'est-ce que tu veux aller faire là-bas ? C'est fini. Tu as plus rien à y faire. Tu n'as pas besoin d'assister à tes obsèques.

« — Je ne sais pas. Ça peut paraître dingue, mais j'aimerais bien y assister.

« — Oh, si c'est ce que tu veux, on y va avec toi. En attendant, tu ferais bien de te reposer. Tu veux aller au lit ?

« — Au lit ? Vous y allez, vous aussi ?

« — Ce n'est pas nécessaire, mais dans ton cas, ce serait une bonne chose.

« Bref, je suis allé au lit. Quand je me suis réveillé, j'étais au cimetière. Et voilà ce qui m'a ennuyé. Oui, j'étais vraiment ennuyé : j'avais contracté une assurance et tout le saint-frusquin et voilà que j'étais mis dans une tombe pour indigent. J'étais vraiment en colère, parce que je m'étais arrangé pour laisser assez d'argent pour payer un enterrement décent. C'est une des raisons, je suppose, pour lesquelles je voulais assister à mon enter-rement. Ma sœur était là, avec deux autres personnes. J'en connaissais une ; c'était un vieux camarade de classe. J'étais là et on me mettait en terre. Il pleuvait à verse. Le vieux curé se dépêchait, comme s'il avait un train à prendre. Et j'ai compris que ma sœur ne s'était même pas donné la peine d'acheter une concession. Ça m'était, d'une certaine façon, égal, mais c'était pour le principe. J'avais payé mes primes d'assurance et j'avais laissé une somme assez rondelette. Et elle me faisait ça, à moi ! J'ai pensé : Attends un peu. Viens ici et tu verras de quel bois je me chauffe. Me faire ça, à moi !

« — Le temps qu'elle arrive ici, tu auras changé d'idée, m'a dit ma mère… Après tout…

« — Quel gâchis !

« — Non. Quelle importance, l'endroit où tu es enterré ? C'est l'endroit où tu te trouves qui a de l'importance. Cet argent va lui permettre de survivre. Je sais que pour le principe ce n'est pas très joli.

« — Tu le dis toi-même que ce n'est pas bien ! Elle savait que je faisais ça, exprès, pour avoir un enterrement décent.

« — Quelle importance que tu aies un enterrement décent ou non, que cet homme officie au-dessus de ton corps à la va-vite, comme s'il avait un train à prendre ?

« — Quelle importance ? Ça alors !

« — Qu'est-ce que ça change ? Tu es là, non ? Et tu vas bien ?

« — Oui, je suis ici et je vais bien.

« — Alors, cesse de t'inquiéter. Après tout, quand ils viendront ici, que ce soit le curé ou ta sœur, ils regarderont la vie en face. Ils découvriront la vérité et regretteront leur attitude. Mais tu ne peux pas les blâmer. Ce sont, tous les deux, des ignorants. Ta sœur, ma fille, est aussi ignorante que ceux qui arrivent ici. Mais elle apprendra. Le curé aussi. Toi aussi, tu apprendras que ce n'est pas un corps dans une tombe, un office ou la manière dont cet office est célébré, un pourboire au croque-mort et tout le tremblement qui comptent. C'est ce que tu es intérieurement qui a de l'importance, ce que tu es toi-même. Pas ce que tu fais semblant d'être ou crois que tu devrais être. C'est ce que tu es toi-même qui importe. Voilà tout ce qui compte. Si tu te penches sur ton passé, tu verras que tu n'as jamais fait de mal à personne et que tes intentions étaient bonnes. Tu n'étais pas, exactement, ce qu'on pourrait appeler un garçon instruit, pratiquant et croyant, mais tu n'étais pas un mauvais bougre non plus. Tu as fait de ton mieux. Tu apprendras, mon garçon. Tu verras, tu apprendras. »

8

C'EST DONC ÇA LE PARADIS !

Irons-nous tous au paradis, comme Mr Biggs, si nous agissons bien, si nous ne faisons jamais de mal à personne ? N'y aura-t-il que roses trémières au jardin, ou réunions familiales autour d'une tasse de thé ?

En dépit de toutes les preuves, notre connaissance de l'au-delà reste bien lacunaire. Sur certains sujets, les voix sont restées étrangement vagues. Mais, grâce à l'entêtement de Betty Greene, l'un des aspects de la vie éthérique – que se passe-t-il quand nous arrivons ? – est commenté avec autant de détails qu'un mariage royal ou qu'une Coupe du Monde.

Nous avons abandonné Ted Butler – écrasé par un camion, à Leeds – main dans la main avec son guide, dans un tramway.

« Fermez simplement les yeux, lui disait-elle, et essayez de ne penser à rien en particulier. Faites le vide en vous. »

Qu'est-il arrivé ensuite ?

La parole est à Ted Butler.

« J'ai donc fait comme elle me le disait. J'ai trouvé ça plutôt difficile. Je ne sais pas combien de temps nous sommes restés ensemble, avant de partir. Je devais avoir perdu connaissance. Je me suis retrouvé dans un fauteuil, assis en face de cette dame, dans un ravissant petit salon. Rideaux de chintz aux fenêtres, joli tapis sur le parquet, sentiment merveilleux de légèreté et de chaleur. Je croyais que c'était le soleil qui brillait derrière les vitres. Tout était briqué. La table était dressée avec goût. C'était comme si j'étais venu prendre le thé. J'ai pensé : Mais où suis-je donc ?

« — Je vous ai amené ici, m'a-t-elle dit. Vous comprenez que vous êtes chez moi ?

« — Oh, c'est très gentil à vous. Je ne sais pas ce que mon épouse penserait si elle me voyait dans la maison d'une femme étrangère !

« Elle s'est mise à rire.

« — Vous ne devriez pas penser ainsi. Tout ça est très loin de vous. Maintenant, nous allons parler un peu et prendre une bonne tasse de thé. J'ai deux ou trois choses à vous expliquer.

« — C'est très gentil à vous.

« — À propos, j'aimerais que vous sachiez que je vis ici depuis de nombreuses années. Je suis arrivée au début du siècle.

« — Ah oui ?

« — Oui. Et je vis avec ma mère.

« — Vraiment ? Où est-elle ?

« — Elle est sortie.

« — Elle travaille ?

« Elle a éclaté de rire à nouveau.

« — Je crois que vous appelez ça comme ça. Ma mère travaillait énormément quand elle était sur terre. Elle faisait des lessives entre autres. Maintenant elle s'occupe d'enfants. Elle les a toujours beaucoup aimés. Elle garde les enfants, morts très jeunes, et les élève. Elle adore ça. Elle sera bientôt de retour. Nous prendrons le thé à ce moment-là.

« J'ai alors pensé : Je me demande si je vais goûter ce thé. Quand je retournais chez ma femme et que je les voyais prendre du thé, je pensais à chaque fois que j'aurais bien aimé moi aussi en boire une tasse. Mais je ne pouvais pas, bien sûr, prendre une tasse. Je crois que je n'aurais pas pu, de toute façon, goûter ce thé.

« — Oh, vous le goûterez, ici, m'a-t-elle dit, parce que vous êtes dans une atmosphère totalement différente. Vous êtes, à présent, dans votre milieu naturel. Ça ne sera pas comme lorsque vous retourniez auprès de votre femme. Maintenant, si vous tendez la main, vous verrez que toutes les choses sont réelles. Vous pouvez prendre cette tasse, boire ce thé et vous vous rendrez compte que ce que vous buvez a exactement le même goût que sur terre.

« — J'ai bu une gorgée. Le thé avait effectivement le même goût.

« — N'est-ce pas agréable ?

« — Oui, très agréable. Mais qui pourrait croire… (Je ne pouvais pas m'empêcher de rire…) Qui pourrait croire que nous sommes des gens assis autour d'une table et que nous buvons un thé délicieux ! Ceux qui vivent sur terre nous prendraient pour des fous !

« — Les gens n'arrivent pas à comprendre que, selon votre accoutumance ou votre comportement, vous trouvez, ici, les choses en accord avec vos besoins. Si, lorsque vous arrivez pour la première fois, vous jugez nécessaire d'avoir telle ou telle chose, on y pourvoit pour vous. Mais ce n'est que provisoire. Jusqu'à ce que vous compreniez que vous n'en avez absolument pas besoin. Je ne bois pas de thé, normalement. Mais, étant donné que vous êtes mon invité et que vous ne pouvez pas vous habituer tout de suite au nouvel ordre des choses, j'ai pensé que ça vous aiderait.

« — C'est très gentil à vous. Vous n'auriez pas dû vous donner tant de mal.

« — Oh, non. Je ne me suis donné aucun mal. Ça fait partie de mon travail.

« — Votre travail ?

« — Oh, oui. J'ai pris l'habitude de descendre sur terre dès que je peux y aider quelqu'un comme vous, quelqu'un qui reste très lié à la terre.

« — Comment dites-vous ?

« — Lié à la terre.

« — Lié à la terre ?

« — Oui, c'était votre cas, mon pauvre ami. Vous étiez comme attaché à la terre, par votre état d'esprit et vos pensées. Vous ne pouviez pas vous libérer. Et c'est une partie de mon travail : aider les gens à se délivrer des choses matérielles. J'ai voyagé dans ce tramway plus d'une fois, parce que je vivais dans cette ville autrefois. Je fais ma petite part. Des milliers et des milliers d'autres personnes font ça, vous savez. Je ne suis que l'une d'entre elles. »

Ted Butler s'installait, s'habituait. Qu'est-il arrivé aux autres ? À ceux que nous avons laissés entre les mains de leurs guides ? À ceux qui prenaient simplement conscience du fait qu'ils étaient morts ?

Nous avons quitté Rupert Brooke, ahuri, sur une berge. Il se demandait pourquoi il ne pouvait pas voir son image, dans l'eau.

« J'étais assis au bord de cette rivière, de plus en plus étonné et songeur. Je n'étais pas du tout affolé. Je me demandais seulement quel allait être le stade suivant, quand tout à coup, j'ai pris conscience d'une présence à mes côtés. J'ai levé la tête. Je n'ai vu personne. Je savais pourtant qu'il y avait quelqu'un. Puis j'ai entendu une voix me dire, très distinctement :

« — Viens avec moi.

« J'ai pensé : Comment diable pourrais-je suivre quelqu'un que je ne peux pas voir ? Je ne sais pas dans quelle direction il va. Je ne sais même pas qui il est.

« La voix a répété trois fois :

« — Viens avec moi, ferme les yeux.

« Je me suis ensuite retrouvé dans un endroit tout à fait différent, un endroit qui ressemblait à une vaste salle de concert. Il y avait de nombreux sièges et des tas de gens. J'étais assis et j'écoutais une musique merveilleuse. Elle semblait apporter un message que j'ai reçu comme un message de paix, de calme et de sérénité : je n'avais aucune raison de me faire du souci ou d'être inquiet. Je me suis senti beaucoup plus calme.

« Peu à peu, j'ai distingué, au loin, un immense éventail de couleurs changeantes, allant des nuances les plus pâles aux teintes les plus sombres. Peu à peu, la couleur a envahi la salle.

« Je voulais parler et en même temps cela me faisait peur. Je me suis ensuite rendu compte que quelqu'un, assis à côté de moi, me disait :

« — Vous pouvez parler si vous voulez. Ne vous inquiétez pas. Vous pouvez le faire.

« Je me suis entendu dire :

« — Quel est cet endroit ?

« Une voix m'a répondu :

« — C'est un endroit où l'on peut faire de vous un être

neuf. Ici, les vibrations vous apportent la possibilité d'une nouvelle vie. C'est un lieu de purification.

« J'ai senti qu'un changement s'opérait en moi. Je sentais que les gens, tout autour de moi, changeaient, eux aussi, d'une manière subtile. Et je ne pouvais pas m'expliquer ce phénomène. Tout mon corps semblait gagné par une force, une vitalité. Tout semblait prendre plus de consistance. Au bout d'un temps très court, une ou deux personnes ont bougé, se sont levées, ont fait quelques pas et se sont mises à parler.

« Nous étions morts récemment. Nous avions été amenés dans cet endroit pour apprendre à nous engager dans notre nouvelle vie. J'ai vu, et je pense que d'autres l'ont vu également, apparaître des formes humaines qui avaient été absentes jusque-là ou qui étaient restées invisibles. Des hommes et des femmes. Ces silhouettes sont allées à la rencontre des gens assis dans l'auditorium. J'ai compris, bien plus tard, que ces personnes avaient pour mission d'orchestrer ces séances d'initiation et d'aider les gens qui avaient besoin, à leur arrivée, d'une adaptation graduelle à cette nouvelle vie.

« Après avoir parlé avec plusieurs personnes, j'ai été conduit dans ce qui ressemblait à un parc. Nous nous sommes promenés et nous avions le sentiment que notre corps était bien une réalité. J'ai senti que le mien était en harmonie avec mes pensées.

« Je me souviens m'être assis sous un arbre et avoir parlé à quelqu'un en particulier : le guide qui s'occupait de moi. Je lui ai demandé s'il m'était possible de continuer à écrire. Il m'a répondu :

« — Bien sûr, si vous le désirez. Vous pouvez également, si vous le voulez, faire mille autres choses. Rien ne vous empêche de devenir peintre ou musicien. C'est le seul moyen que vous ayez pour progresser en ce monde : aller de l'avant.

« J'avais le sentiment que, si j'arrivais à décrire exactement mes expériences, si j'arrivais à les transmettre au monde terrestre, cela constituerait une aide précieuse. Je lui ai demandé si c'était possible. Il m'a répondu que ça le serait, un jour.

« L'homme a souri et m'a dit :

« — La plupart des gens ont la même réaction que vous, dès leur arrivée. Ils veulent immédiatement retourner auprès de leurs amis et de leurs parents. Ils veulent dire à tout le monde combien le passage de ce monde dans l'autre est merveilleux. Ils veulent leur dire que c'est le processus le plus naturel et qu'il n'est point besoin d'avoir peur de la mort, d'avoir peur de mourir... Ne vous inquiétez pas. Le temps viendra où vous pourrez retourner sur terre et vous rendre utile. »

Le temps vint, en effet. Au bout de quarante-deux ans. Cela nous permit de recueillir l'un des rares comptes rendus d'intellectuel que nous possédions, nous racontant l'arrivée dans l'au-delà. En bref, tout ce que nous voulions savoir.

Un nombre incalculable de personnalités se sont succédé de près pour nous faire part de leurs expériences, par l'intermédiaire de Flint, Woods et Betty Greene. D'Oscar Wilde au Mahatma Gandhi en passant par Cosmo Gordon Lang, archevêque de Canterbury. Mais ils avaient trop de conseils à nous donner sur la façon de nous conduire en ce monde et trop de renseignements à nous transmettre sur leurs propres progrès intellectuels dans l'au-delà pour nous dire comment ils vivaient, où ils vivaient et ce qu'ils faisaient. Ils ont laissé ce genre de détails aux gens moins éduqués, plus simples qu'eux, à des gens comme George Hopkins que nous avons laissé avec sa femme, se réveillant dans une maisonnette qu'il avait déjà entrevue dans l'un de ses rêves.

« C'était exactement la même chose, disait-il. Mon vieux chien gambadait de-ci de-là, en remuant la queue et en bondissant. J'ai ouvert la porte, je suis entré et je me suis retrouvé face à une assemblée – une douzaine de personnes, au moins, que j'avais connues. Un de mes frères, une de mes sœurs, les parents de ma femme étaient là. Ils étaient tous là, heureux de me voir, et faisaient toute une affaire de mon arrivée. Il y avait, en fait, tellement de bruit, de bavardages et d'aboiements que je me suis dit : Je reviens vraiment à la maison. Ils avaient préparé un tas de bonnes choses pour moi. Vous auriez été surpris.

« Ça m'a paru bizarre. Je me suis dit : Je n'aurais jamais cru qu'ils avaient des tasses pour le thé, qu'on pouvait s'asseoir et manger des choses délicieuses. Ils m'ont dit :

« — Oh, oui, tu ne t'y attendais peut-être pas, mais ça faisait partie de tes habitudes et nous voulions absolument que tu te sentes chez toi. Ça va t'aider. De toute façon, Poll, ta femme, est là, ton chien est là, nous sommes tous là. Nous resterons en contact avec toi ; nous reviendrons te voir de temps à autre.

« J'ai, tout à coup, compris que je pouvais me voir ; pas comme je le faisais avant en me regardant dans une glace. Je me voyais pour la première fois. J'ai dit à la cantonade :

« — C'est merveilleux. Je ne sais quoi dire, quoi faire.

« Ils m'ont tous dit :

« — Eh bien, ne fais rien, ne dis rien. Détends-toi, repose-toi, amuse-toi, remets-toi du choc d'être… euh, d'être mort comme tu dis.

« — Je n'arrive pas à piger. Tout est si naturel, tout est si vrai. Vous êtes tous là, tous ceux que j'ai aimés, tous ceux qui comptaient tellement pour moi. Vous êtes tous là pour m'accueillir, me rendre heureux.

« Et puis il y a tous ces gens là-bas en bas. On aurait pu croire qu'ils savaient quelque chose. Le curé, surtout. Je sais, je n'allais pas régulièrement à l'église, mais il semblait n'être au courant de rien. Il ne paraissait pas capable d'aider, de réconforter qui que ce soit. Pourquoi ?

« — Tu ne dois pas blâmer ce pauvre vieux curé, m'ont-ils dit. Il fait ce qu'il peut, dans des circonstances peut-être difficiles. Mais, vois-tu, tout simplement, ils ne tiennent pas le bon bout.

« Puis ils m'ont raconté que le curé s'était mis dans la tête cette idée bizarre : seuls ceux qui ont soi-disant fait le bien iront au paradis, et puis, éventuellement reviendront sur terre où ils ressusciteront. Bien sûr, ont-ils ajouté, il existe des gens plus larges d'esprit que lui. Il est de la vieille école. Nombre d'entre eux sont plus évolués aujourd'hui, mais peu sont au courant de la communication, de la vie après la mort. Ils acceptent le fait ou la possibilité d'une vie après la mort, mais, bien sûr, ils ne comprennent pas du tout cette histoire de communication.

« À vrai dire, un ou deux d'entre nous ont assisté à ce que tu appellerais des réunions, des séances. Ils sont entrés en contact et sont parvenus à faire passer des messages. Mais de temps en temps seulement. Il n'existe pas beaucoup de médiums avec qui tu puisses entrer en contact ou grâce à qui tu puisses faire du bien. Quant à l'Église, c'est dommage, mais elle a perdu le sens de la réalité de tout ça. Pour elle, c'est quelque chose qui s'est produit il y a deux mille ans et qui ne s'est pas reproduit depuis. Elle vit dans le passé et ne saisit pas que le présent et le futur sont une seule et même chose. Il existe pas une chose comme le temps, m'ont-ils dit encore. C'est une illusion. »

Un élément se dégage de tout ça : Biggs a effectué sa transition, son passage avec sa mère, George Hopkins avec sa femme, Alf Pritchett avec un ami, Ted Butler et Rupert Brooke avec des guides envoyés à leur rencontre. En août 1966, une jeune fille, à l'accent écossais, du nom de Mary Ivan, dit qu'elle avait simplement perdu connaissance et qu'elle s'était réveillée dans l'autre monde.

« Je me suis retrouvée dans un endroit qui ressemblait à un hôpital. Je me suis demandé où j'étais. Parce que j'étais chez moi, vous savez. J'étais au lit, malade. Une de mes sœurs s'occupait de moi. Je me souviens m'être réveillée, là, dans un service d'hôpital, mais tout était charmant, propre, frais et aéré. Tout le monde semblait efficace et détendu. Le soleil – du moins ce que je croyais être le soleil à ce moment-là – brillait derrière les vitres et des tableaux étaient suspendus aux murs.

« Puis une dame très gentille est venue me voir.

« — Vous savez, m'a-t-elle dit, vous devez vous reposer un peu. Vous irez très bien ensuite. Il faut que vous y voyez plus clair et que vous appreniez certaines choses. Vos parents et vos amis vont venir vous voir dans un petit moment.

« Je me suis dit que c'était vraiment étrange. J'étais sûre d'être à la maison, dans mon lit, et voilà que j'étais à l'hôpital. J'avais donc dû perdre connaissance et ils avaient dû m'y transporter. Il y avait une adorable fillette aux cheveux blonds dans le lit voisin du mien. Elle était assise et babillait.

« — C'est bien d'être ici, non ? m'a-t-elle dit. Je suis si contente.

« — Oui, c'est vraiment bien. Mais qu'est-ce qui ne va pas ?

« — Oh, rien, j'ai seulement attrapé la diphtérie.

« — On ne dirait pas. Tu n'as pas l'air de quelqu'un qui a… Tu es aussi fraîche qu'une rose et tu as très bonne mine. Ça fait combien de temps que tu es ici ?

« — Je viens à peine d'arriver. Je suis pourtant bien contente.

« Puis j'ai vu ma sœur s'approcher de moi ! Elle était morte très jeune. J'avais douze ans environ, à l'époque. Nous l'appelions Kate. Je me suis dit que c'était étrange. Kate n'est pas ici. Kate est morte. Et elle était là, devant moi.

« Elle s'est approchée de moi. Elle tenait un gros bouquet de fleurs dans ses bras – des fleurs fraîchement coupées, encore couvertes de rosée. Et elle m'a dit :

« — Je t'ai apporté ça. Nous sommes si heureux que tu sois là. Maman va bientôt venir. Papa aussi.

« — Non, ai-je dit, ce n'est pas possible. Comment es-tu entrée ? Tu n'es pas là. Tu es morte.

« — Ne sois pas sotte. Je sais que je suis morte. C'est vrai, mais toi aussi.

« — Qu'est-ce que tu veux dire ?

« — Tu es morte.

« — Non, c'est impossible. Je suis bien vivante. Je suis à l'hôpital. Comment es-tu entrée ? Est-ce que quelqu'un t'a vue franchir la porte ?

« — Oui. Ils m'ont tous vue franchir la porte, parce que ceux qui sont ici sont tous morts.

« — Je n'y comprends rien du tout.

« La fillette, ma voisine de lit, me regardait fixement.

« — C'est vrai ? a-t-elle dit. Nous sommes mortes ? Et la dame, elle aussi, elle est morte ?

« — C'est ma sœur et elle est morte, et si elle est morte, alors nous sommes mortes. Or, nous sommes vivantes. Je n'y comprends rien.

« — Nous sommes venus te chercher, a dit ma sœur.

« — Que veux-tu dire ? Il vous faut l'autorisation de l'hôpital pour me faire sortir ? Mais je dois dire que je ne me suis jamais sentie aussi bien de ma vie.

« — Bien sûr, tu vas bien. Tu n'as rien. Enlève-toi ça de la tête. Je vais aller voir la personne qui dirige le service.

« Au bout d'un moment, après un petit conciliabule entre elles, j'ai reçu l'autorisation de me lever.

« — Et mes vêtements ? ai-je dit.

« Ma sœur s'est mise à rire.

« — Ne t'inquiète pas. Tu les portes.

« — Que veux-tu dire ?

« Je me suis regardée. Je les avais sur moi, effectivement. Je les portais bien ! Je n'y comprenais rien parce que je ne me souvenais pas les avoir mis. Ni même d'en avoir apporté avec moi ! J'étais là, debout près de mon lit, dans une magnifique robe de chambre bleu pâle, avec une ceinture et de la dentelle autour du cou. Je me suis dit que je n'y comprenais vraiment rien. Mes cheveux étaient merveilleusement coiffés et peignés.

« Ma sœur a éclaté de rire et a dit :

« — Tout va très bien. Je t'ai aidée à t'habiller mais tu ne le savais pas. Je t'ai aidée aussi à te coiffer, par la pensée. Bien sûr, tu y arriveras, tu comprendras. Il te faudra un peu de temps pour t'habituer à tout ça. Mais une fois que tu auras compris, tu pourras réaliser tout ce que tu veux faire, grâce à tes pensées.

« — Tu crois qu'il en sera vraiment ainsi ?

« — Oui, il en est ainsi. En tout cas, nous partons maintenant. Nous allons voir maman et les autres.

« — Mais je croyais que tu avais dit que maman devait venir me voir ?

« — Oh, elle doit probablement se trouver au rez-de-chaussée.

« Nous avons descendu un magnifique escalier qui semblait être en marbre. Des tas de gens allaient et venaient. Ils avaient tous l'air en bonne santé, en pleine forme. L'endroit paraissait très bien entretenu. »

La voix s'est tue un instant.

« Poursuivez, Mary, l'encouragea Betty Greene. C'est extrêmement intéressant. »

Mary Ivan reprit :

« Oui, nous avons donc descendu ces marches ; nous avons franchi un portique, puis nous avons descendu d'autres marches et nous sommes arrivées dans un merveilleux jardin. Je n'étais jamais allée dans des endroits aussi beaux parce que l'occasion ne s'en était pas présentée. Mais on m'a dit que ça ressemblait à ces endroits de France où de merveilleuses fontaines jouent au milieu de jardins superbes. Il y avait un tas de monde ; des enfants couraient et jouaient. Je me suis dit qu'il était étrange de voir tous ces gens et de constater qu'ils ne semblaient absolument pas déplacés dans ce cadre. Je me sentais pourtant tellement déplacée moi-même.

« — Je pense que ça fait longtemps qu'ils sont là, ai-je dit à ma sœur.

« — Non. Quelques jours seulement, puisque tu parles de temps. Ils commencent à peine à s'acclimater. Ils attendent leurs parents, leurs amis. C'est ce que nous appelons un lieu de réception où les gens viennent très souvent, pas toujours, mais où beaucoup viennent jusqu'à ce qu'ils se soient habitués à leurs nouvelles conditions de vie et que leurs amis soient arrivés. Ils finissent par partir. Habituellement, ils s'en vont vivre avec leur femme, leur mari, leur père ou leur mère, s'ils sont célibataires. Les gens qu'ils aimaient le plus sont ceux qui les attendent dans ce jardin. Bien sûr quelqu'un, comme moi, en ce qui te concerne, vient pour briser la glace, comme on dit. Tu sais, personne n'a besoin d'avoir peur de la mort car c'est la chose la plus extraordinaire, la chose la plus excitante qui puisse nous arriver. Personne ne doit en avoir peur. »

Elle se mit à s'extasier sur sa nouvelle vie. Betty Greene la ramena à la fin de son histoire.

« Avez-vous rencontré vos proches, Mary ?

— Finalement, oui. En fait, j'ai fini par aller vivre avec ma mère. Et par la suite, avec mon mari. »

9

MORT SOUDAINE

« Les gens qu'ils aiment le plus, dit Mary Ivan. Ce sont immanquablement ceux qui attendent. » Si elle avait vécu un peu plus longtemps sur terre, elle aurait pu chanter : « Tout le monde aime quelqu'un, et quelqu'un vous aime. » Alf Pritchett avait une sœur, perdue depuis longtemps ; Mrs Biggs, une mère ; George Hopkins, une femme et Mary Ivan, ses parents, une sœur et un mari. Mais qui peut offrir un havre céleste à l'un de ces jeunes garçons qui, tués pendant la guerre, n'ont pas eu le temps de se marier, et laissent derrière eux leurs parents, leurs proches ?

La réponse nous parvint, le 16 juillet 1966. Une jeune voix masculine déclina son identité : Terry Smith. Il était passé par-dessus bord lorsqu'un obus du *Bismarck* avait coulé le croiseur *Hood*, puis s'était noyé dans les eaux vertes et glacées de l'Atlantique Nord.

« Tout s'est passé très rapidement, dit-il. Aucun de nous n'avait une chance de s'en tirer. C'était sans espoir. »

Betty Greene lança sa question clef :

« Terry, pouvez-vous nous décrire vos réactions quand vous avez découvert que vous étiez toujours vivant ? Que vous est-il arrivé ?

— La première chose dont je me souvienne, c'est que je remontais une rue, que je n'avais jamais vue de ma vie. Je n'ai pas compris tout de suite que ce n'était pas une vraie rue, que tout était irréel. Il y avait de beaux arbres de chaque côté. Il y avait des maisonnettes éparpillées çà et là, et des demeures plus imposantes. Je n'ai pas reconnu l'endroit ; ça ressemblait pourtant à quelque chose, la Californie peut-être. J'avais vu des images représentant de grands et larges boulevards avec des arbres, des pelouses en pente et de jolies petites maisons. Je n'y comprenais rien du tout.

« Il n'y avait personne d'autre dans les environs. C'était comme si j'avais été là, tout seul, vous savez. Je me suis dit que c'était bizarre. Je me suis dit que je devais certainement rêver. La route ne m'était pas familière ; il y avait pourtant quelque chose qui émanait d'elle qui me poussait, intérieurement, à avoir confiance.

« J'ai continué à marcher entre ces maisons qui semblaient désertes, mortes. Pas un bruit. Rien. Puis en poursuivant ma route, j'ai rencontré une très belle femme, du moins je l'ai pensé. Elle n'avait pas l'air d'avoir plus de vingt-huit ou trente ans. Elle était près d'un petit portail. C'était, en fait, la première maison que je voyais qui avait un portail. Les autres ne semblaient pas en avoir. Cette petite vieille dame… ce qu'il y a de drôle dans cette femme, c'est qu'elle semblait jeune, et pourtant je savais qu'elle était vieille. Accoudée à la barrière, elle m'a souri quand je me suis approché d'elle. Je me suis arrêté et elle m'a dit :

« — Tu cherches quelque chose, fiston ?

« J'ai dit :

« — Oui… euh… quelque chose… euh… Je n'arrive pas à comprendre où je suis et ce qui se passe.

96

« — Oh, tout va bien, fiston. Je t'attendais. Entre.

« Je me suis dit : je n'ai rien à perdre, de toute façon. Je suis donc entré. J'avais trouvé au moins quelqu'un à qui parler.

« Elle m'a emmené dans ce que vous appelleriez, je crois, un salon – une mignonne petite pièce avec de très jolis rideaux en chintz et de bien belles chaises. Tout ça avait un côté très douillet. Il y avait aussi un chat lové sur une chaise. Un très beau chat noir. Des chats ? Je me suis dit : Je ne peux pas être mort s'il y a des chats.

« Elle m'a dit :

« — Entre, fiston, assieds-toi. (Je me suis assis.)

« — Tu veux boire quelque chose ? m'a-t-elle demandé.

« Je me suis dit que c'était vraiment étrange. Est-ce que j'aimerais boire quelque chose ! Je croyais qu'elle allait m'offrir une tasse de thé ou je ne sais quoi d'autre. J'ai répondu :

« — Oui, avec plaisir.

« — Que veux-tu boire ?

« Je me suis dit : Fais gaffe. Tu ne dois pas donner l'impression d'être un alcoolique.

« — J'aimerais boire un jus de citron.

« — Vraiment ? D'accord. (Elle est sortie et est revenue avec un verre rempli de jus de citron.)

« — Tu sais que tu ne dois t'inquiéter de rien, fiston. Je t'attendais.

« — Vous m'attendiez ?

« — Oui.

« Je ne savais pas quoi dire. Je me suis assis et elle m'a dit :

« — Tu sais que tu es mort ?

« — Quoi ?

« — Tu es mort.

« — Allons donc ! Je ne peux pas être mort si je suis assis dans cette pièce, un chat près de moi, et si je bois un verre de jus de citron. Et vous êtes bien réelle. Comment je pourrais être mort ? J'admets que tout ça est un petit peu étrange. J'ai tout d'abord cru que je rêvais.

« — Tu ne rêves pas, fiston. Tu es mort.

« — Vous dites que je suis mort. Alors si vous m'expliquiez un peu comment j'ai fait pour arriver ici ?

« — Oh, je priais et je pensais à toi. On m'a demandé de te prendre en charge.

« — Me prendre en charge ?

« — Eh bien, quand ton bateau a coulé…

« Et tout m'est soudainement revenu en mémoire. Quand le bateau avait coulé, la dernière chose que je me rappelais c'est que je me raccrochais à une poutre. Je croyais que ça me permettrait de rester la tête hors de l'eau, mais, bien sûr, c'était sans espoir.

« — Tu te noyais, a-t-elle dit.

« — Oh !

« — Des centaines et des centaines de jeunes gars sont arrivés ici.

« — Ah ?

« — Oui, et chacun a trouvé quelqu'un pour s'occuper de lui. Certains ont leurs parents ou leurs amis. Moi, je suis celle qui a pour mission de s'occuper de toi. Tu ne t'en rends pas compte mais tu as été dirigé. Tu croyais que tu avançais sur cette route, comme ça, tout seul. En fait, tu y étais aidé par l'inspiration d'une âme dont le travail est d'aider les gens qui meurent aussi brusquement que toi.

« — Je ne comprends rien.

« — Ne t'inquiète pas. Tu resteras avec moi. Je vais veiller sur toi. Je serai comme une maman pour toi.

« Je me suis dit : C'est vraiment quelque chose ! Elle s'est mise à me parler des miens. Ça m'a plutôt secoué car elle semblait tout savoir de ma mère et de mon père, qui étaient pour ainsi dire séparés, et de ma sœur. Aussi j'ai demandé :

« — Vous êtes une parente ?

« — Pas vraiment. Mais me renseigner fait partie de mon travail, puisque je dois m'occuper de toi.

« — Ça, c'est drôle. Puisque vous dites que je viens à peine d'arriver, comment avez-vous eu le temps d'apprendre tout ça ?

« — Oh, ce n'est pas difficile. Ce n'est qu'une question de longueur d'onde.

« — Longueur d'onde ? C'est comme si on parlait d'un poste de radio.

« — Oh, nous pouvons. Si nous avons une raison spéciale de vouloir des renseignements sur quelqu'un ou sur plusieurs personnes, si c'est là notre tâche et si nous obtenons la connexion nécessaire, alors nous nous trouvons sur la bonne longueur d'ondes. Nous irons voir les tiens, un peu plus tard.

« — Oh, ce serait bien, oui.

« — Bien sûr, ils ne sauront pas que tu es mort. Enfin ils ne sauront pas que tu es là. Ils savent que tu es mort, mais ils ne savent pas que tu es toujours, vivant, que tu peux les voir. Ne sois pas trop bouleversé si personne ne se rend compte de ta présence, si personne ne fait attention à toi.

« — Oh, j'avais une tante qui était spiritualiste.

« — C'est bien. Peut-être pourrons-nous faire passer quelque chose dans cette direction-là. On ne sait jamais.

Nous allons essayer avec elle. Pour le moment, tu dois te dire que tu es satisfait d'être ici. J'ai un fils sur terre. J'espère qu'un jour, lorsqu'il viendra ici, nous serons de nouveau ensemble. Je l'espère vivement. Mais en attendant, je vais m'occuper de toi et essayer de te rendre heureux. Tu n'as pas de soucis à te faire. Tu ne dois, en aucun cas, te sentir seul. Quand tu te seras reposé – je crois que tu devrais te reposer, ça a été un choc très dur pour toi –, je t'emmènerai et je te présenterai à des gens intéressants de notre communauté

« Un peu après, elle m'a emmené. Ce qui semblait être le soleil brillait. Elle m'a dit, plus tard, qu'il n'y avait pas de soleil, que c'était une lumière dont nous pouvions tous… dont toute vie était capable de tirer sa puissance… Drôle de lumière ! Ça peut sembler bizarre mais elle ne faisait pas d'ombres. Il n'était pas nécessaire de s'en protéger, car elle était plaisante et chaleureuse. Mais pas trop chaude. On ne la sentait pas. Elle ne vous brûlait pas.

« Nous sommes donc sortis.

« — Vous ne fermez pas la porte ?

« — Ce n'est pas la peine ici

« Je vous ai dit que lorsque je marchais sur cette route, la première fois, tout semblait mort et vide. Pas âme qui vive. Pourtant tout semblait propre, briqué, comme si tout le monde était allé faire la sieste après le travail. Cette fois-ci tout le monde était dehors, sur le pas des portes. Et, ô mon Dieu, je n'ai pas eu le temps de faire beaucoup de chemin. Je me suis retrouvé cerné par une foule. Toutes sortes de gens. Des jeunes pour la plupart. Un ou deux d'entre eux semblaient plus âgés. Pourtant, en y repensant, je sais qu'ils n'étaient pas vieux. Quelque chose en eux, cependant, trahissait un âge avancé. Je n'arrive pas à m'expliquer ça. Ils me serraient tous la main et m'appelaient par mon nom. C'était bizarre que tout le monde connaisse mon nom ! Ils m'appelaient tous Terry comme s'ils me connaissaient depuis toujours. J'ai bientôt compris que peu de choses leur échappaient, quand une ou plusieurs personnes arrivaient venant de la terre et entraient dans la communauté.

« J'ai compris, plus tard, que c'était une communauté spéciale dont la tâche était d'aider et de guider les nouveaux arrivants. Et, avec la guerre qui faisait rage, des tas de jeunes arrivaient ici. Ils étaient tous autour de moi et me souhaitaient la bienvenue. J'avais l'impression d'être au milieu de vieux amis.

« C'était vraiment extraordinaire. J'étais arrivé ici, dans un endroit où tout le monde semblait mort ou absent. Et personne pour se soucier de moi. Et maintenant, ils étaient tous là pour m'accueillir. Aussi j'ai demandé à mon amie :

« — Pourquoi n'y avait-il personne pour m'accueillir lorsque je suis arrivé ?

« — C'était volontaire.

« — Pourquoi ?

« — C'était absolument nécessaire. Il fallait que tu viennes directement jusqu'à moi, puisque j'étais la personne désignée pour veiller sur toi. Les autres étaient, bien sûr, au courant de ton arrivée. L'amour qui émanait de chaque maison devant laquelle tu passais – même si tu ne voyais personne – était si fort qu'il t'aidait. Ils savaient que le moment viendrait où tu te serais adapté et où avec mon aide, tu aurais appris à voir et à comprendre un peu. Alors, tu serais à même d'être accueilli par eux. Si nous avions été tous là, tu aurais été bouleversé.

« Maintenant, tu es en train de t'installer, de t'habituer. Tu vas apprendre à connaître les gens. Il va ensuite falloir que tu choisisses le genre de choses – le travail – que tu aimerais faire. Avant ça, ce serait peut-être bon de retourner sur terre et de voir comment vont les tiens, de savoir si tu peux faire quelque chose pour eux. »

Terry Smith n'était pas un cas compliqué. Un jour, certainement, il préparerait, à son tour, une maison pour sa mère, son père ou sa sœur. Mais comment le système s'en tirait-il avec les solitaires qui n'étaient jamais parvenus à établir de vraies relations humaines sur terre, et qui semblent ne devoir jamais y parvenir, sans une rééducation intense, au ciel ?

Une réponse nous parvint le 6 décembre 1965, quand d'autres pensaient à ce moment-là à leurs achats de Noël. Le silence fut rompu par une voix bourrue qui annonça :

« Je m'appelle George Wilmot. Je suis venu ici, assez souvent, et j'ai écouté vos conversations. Je me disais que j'aurais peut-être ma chance un jour. On ne peut jamais savoir quand ça arrive !

« — Mr Wilmot, dit Betty Greene, pouvez-vous nous parler de vous ?

« — J'étais chiffonnier. Oui, j'allais de maison en maison et je ramassais tout ce qu'ils jetaient. Je gagnais un petit peu d'argent comme ça. Je tenais le coup. Je crois que vous appelleriez ça, gagner sa vie !

« De temps en temps, j'avais de la chance – des journées qui valaient la peine d'être vécues. Je gagnais peut-être jusqu'à cinq shillings, ces jours-là. Mais j'ai jamais été aussi heureux sur terre que ceux qui viennent témoigner auprès de vous. Je suis drôlement content d'avoir quitté votre monde. J'en ai bavé, ça oui. Et j'ai bouffé pas mal de vache enragée. Pourtant, je me suis amusé à ma façon. J'ai eu deux femmes. Aucune des deux ne valait grand-chose. Peut-être que c'était ma faute ? J'étais peut-être pas mieux qu'elles. Qui sait ?

— Mr Wilmot, reprit Betty Greene, comment êtes-vous mort ? Que vous est-il arrivé ?

— Oh, j'ai simplement attrapé une pneumonie, un hiver. À force d'aller de-ci de-là. J'ai attrapé un rhume et les complications pulmonaires ont commencé. Et, avant d'avoir pu dire ouf, je me suis retrouvé à l'hôpital du coin. J'y suis pas resté plus d'une semaine. J'avais exagéré vous savez. Je n'avais jamais eu les poumons bien costauds. »

Au bout d'une semaine, George Wilmot mourut. La première personne qu'il vit fut sa bonne vieille Jenny.

« Non, nous dit-il en gloussant, vous n'y êtes pas du tout. Jenny c'était pas une de mes femmes, Dieu soit loué. C'était ma jument. »

10

Dans un pays où tout le monde aime les animaux, la mort du chien, du chat ou du poney adoré provoque autant de désespoir que la perte d'un être cher. L'au-delà sans eux apparaît comme une perspective bien triste.

Les voix nous disent autre chose. Rien ne surprend ou ne ravit plus les gens que d'être accueillis, dans l'autre monde, par leurs animaux domestiques favoris. Les épouses et les parents sont parfois attendus. Mais retrouver Rover, bondissant de joie, est un cadeau merveilleux.

George Wilmot, notre chiffonnier, dégoûté du mariage, se sépara de ses deux épouses qui « ne valaient pas grand-chose ». Il raconta, lors de ses visites, son étonnement et sa joie d'avoir été accueilli par sa vieille jument.

« La vieille Jenny tirait ma carriole, quand j'avais trente ans. J'ai été vraiment triste quand elle est morte. Elle m'était aussi proche que peut l'être une femme. En fait, elle l'était bien plus. J'avais beaucoup d'affection pour elle. Tout ce que j'avais pu lui dire ! Je suis sûr qu'elle s'en souvenait. Et mignonne avec ça ! Vraiment chouette ! Pas la beauté classique d'un cheval de race, bien sûr. Mais c'était quand même une bête épatante.

« La première chose dont je me souviens c'est que lorsque je me suis réveillé, j'étais dans… je crois que vous appelleriez ça… un champ. J'étais assis ou allongé sous un arbre. Je me suis réveillé. J'ai vu ce cheval s'approcher de moi, et c'était ma bonne vieille Jenny !

« Elle avait l'air plus jeune, bien sûr, et elle était si heureuse et si excitée de me trouver là ! Je m'en rendais compte, je le sentais. Je peux pas dire comment. C'est quelque chose que je sais pas expliquer. C'était comme si elle me parlait. C'était extraordinaire. Je n'entendais aucune voix et je ne m'attendais pas à ce qu'un cheval parle. Ça se passait mentalement, je suppose.

« Je comprends maintenant que c'était sa façon à elle de me souhaiter la bienvenue. Elle est venue près de moi et m'a léché la figure. Bon Dieu, j'étais si ému ! J'arrêtais pas de la tapoter, de la caresser. Et puis, j'ai entendu une voix derrière moi. Je me suis retourné et j'ai vu un très beau gars. Il était jeune et mesurait au moins un mètre quatre-vingt. Il m'a dit :

« — Je suis venu pour m'occuper de toi.

« — T'occuper de moi ? Qu'est-ce que tu veux dire ?

« J'étais vraiment ahuri. À cause de Jenny, de tout ça.

« — Oui, je suis venu pour m'occuper de toi. On m'a dit de te prendre en charge.

« — Me prendre en charge ? J'ai toujours été capable de m'occuper de moi-même. Je le suis encore.

« — Tu ne comprends pas. Tu sais que tu es mort n'est-ce pas ?

« Ça m'a, bien sûr, fait l'effet de la foudre. Et j'ai compris soudain. Jenny, bien sûr, était morte depuis des années. J'avais eu une autre jument après elle. Un bon cheval mais qui ne la valait pas.

« Puis il m'a semblé qu'il voulait me montrer quelque chose. Je sais pas s'il me l'a montré, je crois que oui. Je me suis vu, allongé dans un lit, raide et rigide. C'était comme si je regardais mon propre cadavre. Et pourtant

106

je n'étais pas là-bas. Je les ai vus mettre le cadavre sur un chariot et l'emmener. Et je marchais derrière. Puis tout a disparu et je me suis retrouvé là où j'étais, avec ce petit gars.

« — Je m'appelle Michael.

« — Ah oui ?

« — Tu comprends que tu es mort ?

« — Je ne sais pas quoi penser, à vrai dire.

« — Tu viens de voir ton cadavre. Tu sais que tu es mort dans cet hôpital.

« — Je me souviens que j'étais très malade, à l'hôpital. Mais comment est-ce que je peux être mort si je parle avec toi, et si Jenny est près de moi ?

« — Jenny n'est-elle pas la preuve de ta mort ?

« — C'est bizarre. Si je suis au paradis, et si c'est le paradis, tu ne t'attends pas à y trouver des juments. Les juments n'ont pas d'âme, pas vrai ?

« — C'est ce qu'on raconte sur terre. Cette jument-là, à cause de l'intimité qu'elle a eue avec toi, de l'amour et de l'affection que tu lui as donnés, a reçu quelque chose qui lui a permis d'allonger sa durée de vie.

« Je ne comprenais pas très bien. Allonger sa durée de vie ?

« — Tant que tu auras de l'affection et de l'amour pour cette jument, elle aura une existence. Les êtres humains ignorent la responsabilité qu'ils ont vis-à-vis des animaux. Depuis que je suis ici, ce qui fait des centaines d'années…

« Je l'ai, bien sûr, regardé avec des yeux ronds. Je me suis dit qu'il avait l'air bien jeune et bien conservé, au bout de tant de temps. Je me sentais un petit peu perdu et je me suis dit que j'avais intérêt à ouvrir l'œil et à faire attention à ce que je disais.

« — Oh, a-t-il dit, le temps ne veut rien dire, vois-tu. Je suis là depuis des centaines d'années et une de mes responsabilités consiste à m'occuper des animaux. Je descends souvent dans les puits.

« Je me suis demandé ce qu'il voulait dire par là. J'ai pensé qu'il voulait peut-être parler de l'enfer, de quelque chose de ce genre.

« — Non. Les puits sont des endroits où vivent les animaux. Je vais les voir dans les puits de mines et j'essaye de les aider, mais on ne peut pas faire grand-chose. Par ici, nous avons de vastes plaines où les animaux se rassemblent, où il y a de l'amour et de l'affection, où ils peuvent être soignés.

« Les gens croient stupidement, parce qu'ils sont des êtres humains, qu'ils sont les seuls à avoir droit à une existence future. S'il y en a une. L'au-delà existe bel et bien, mais ils ne savent pas grand-chose là-dessus non plus.

« Bien sûr, il parlait, il parlait. Et j'étais de plus en plus intrigué. Pendant tout le temps où il a parlé, j'ai écouté à moitié et j'ai pensé en moi-même : Que vais-je faire ? Je pouvais pas, en même temps, m'empêcher de penser à tous mes propres soucis.

« — Tu ne veux pas t'asseoir là ? Marchons, alors,

« Je me suis mis à marcher à ses côtés ; nous avons traversé ce champ ; nous avons atteint une route.

« C'était comme si je m'étais trouvé à la campagne, sur la terre. Je marchais et la jument me suivait.

« C'était étrange, cette jument qui me suivait. J'en étais tellement fou. Il y avait pas de doute, c'était bien la même bête que celle que j'avais eue. »

Wilmot n'était qu'un parmi tant d'autres à être surpris de voir un animal mener, dans l'au-delà, le même genre de vie que sur terre. Quand Terry Smith, mort dans le naufrage du *Hood*, entra dans sa première maison céleste, l'une des premières choses qui l'avaient stupéfié, avait été de voir un chat noir, lové sur une chaise.

« Tout à coup, dit-il, ce chat a fait une chose tout à fait extraordinaire. Il a sauté de la chaise, est venu vers moi, s'est assis sur son arrière-train, m'a regardé et a dressé les oreilles. Il n'a pas fait miaou. Il s'est mis à parler ! J'étais tellement saisi que j'ai failli tomber de ma chaise.

« — Ne t'inquiète pas, m'a-t-elle dit. Tu t'y habitueras. Les animaux ont énormément développé leurs capacités de communication. Ils peuvent aussi le faire sur terre, mais nous ne les entendons pas parce qu'ils ne possèdent pas un langage au sens où nous le concevons. Ici, leurs pensées sont telles qu'elles peuvent faire vibrer l'atmosphère et que tu peux entendre les sons qu'ils émettent. Ce sont simplement leurs pensées qui te sont transmises. Ce chat t'a dit : Comment vas-tu ?

« Je me suis dit : Par Jésus-Christ, je suis dans un monde de fous. Les chats ne peuvent pas dire : comment vas-tu ? Je ne savais que faire, que dire.

« — Ne t'inquiète pas, tu t'y habitueras. Les animaux sont beaucoup plus sensibles que ne le croient les gens. Ils ont leur propre connaissance des choses. Ils peuvent communiquer des pensées et en recevoir. Tu t'habitueras au fait que les animaux puissent transmettre beaucoup plus de choses ici qu'ils ne le peuvent sur terre.

« Je me suis fait en quelque sorte à cette idée et j'ai répondu :

« — Merci, je vais très bien.

« Le chat m'a répondu :

« — J'espère que tu seras heureux, ici.

« Puis il est retourné s'asseoir sur sa chaise, s'est pelotonné et s'est endormi. »

Un peu plus tard, son guide a emmené Terry Smith pour sa première promenade à travers le village. Ils n'étaient pas seuls.

« Alors que nous nous apprêtions à partir, le chat s'est levé et nous a suivis. Il marchait près de nous – comme l'aurait fait un chien.

« — Oui, je viens, disait-elle. (Elle l'appelait Nelly.)

« Je me suis dit que Nelly était un drôle de nom pour un chat. Je n'avais jamais entendu quelqu'un appeler son chat, Nelly.

« — Tu trouves que c'est un drôle de nom, pour un chat, n'est-ce pas ?

« — Je n'ai jamais rencontré un chat qu'on appelait Nelly. Je ne vois aucune raison, d'ailleurs, à ce qu'un chat ne puisse pas s'appeler Nelly plutôt que Tiddles.

« — C'est le nom que ma mère lui a donné.

« — Votre mère ? Ce chat a quel âge, alors ?

« — En termes de temps matériel, il doit avoir dans les soixante ans. »

George Hopkins, le fermier du Sussex, était tout aussi heureux que les autres de voir son vieux chien courir en tous sens, remuer la queue, sauter et bondir.

Il devait avoir une autre surprise.

« Que faites-vous maintenant ? lui demanda Woods un peu plus tard, au cours de la séance.

— Eh bien, répondit-il, je m'intéresse beaucoup au bétail.

— Vous avez du bétail, là-bas ?

— Oh, oui. Nous avons également des chevaux. J'ai toujours été amoureux des animaux, des chevaux en particulier. J'aime le bétail et nous en avons ici. Pourquoi pas ? Nous avons de merveilleux pâturages, des champs et des animaux semblables aux vôtres. Tout le monde vit en contact avec la nature. Il y a pas de tuerie. J'ai un jardin que j'aime beaucoup. J'ai du bétail. J'aime me promener et faire du cheval. C'est une chose que je n'avais pas tellement l'occasion de faire, encore que je travaillais aux champs. Marcher devant un cheval, oui. Mais le monter, ça m'était très rarement arrivé.

— Croyez-vous que le bétail, les chevaux ont un plus haut degré de conscience ? demanda Betty Greene. Ceux auxquels vous avez affaire vous comprennent-ils ?

— Je vous répondrai : Oui, absolument. Je crois d'ailleurs qu'on a tort, sur terre, de sous-estimer l'intelligence du bétail.

« Ils ont après tout leurs sentiments et leurs émotions. Ce ne sont pas des animaux dépourvus d'intelligence, vous savez. Je sais qu'il existe, dans votre monde, un grand débat : doit-on tuer les animaux pour les manger ? Je sais pas quoi dire là-dessus. Je serais porté à croire que c'est pas nécessaire, car il existe mille autres moyens de se nourrir. De toute façon, je crois pas que manger de la viande putréfiée soit une bonne chose. Je vois pas en quoi ça peut être si recommandable aux êtres humains. Après tout, je crois qu'un animal a, tout autant que l'homme, le droit à la vie. Je dirais même, davantage, dans certains cas. »

11

<small>Des mariages sont célébrés au paradis</small>

Son caractère définitif, irrévocable – devoir quitter l'être aimé pour toujours – est ce qui apparaît le plus intolérable dans la mort.

Pour accepter la mort, il faut croire que maris et femmes, parents et enfants, amis et amants se retrouveront dans une autre vie, au-delà de la tombe.

Hormis la négation catégorique de toute possibilité d'une vie après la mort, la première étape du rejet peut être la perspective d'une existence éternelle à jamais liée à l'épouse ou au parent que l'on déteste.

Pas d'inquiétude, disent les voix. Seuls ceux que vous aimez seront près de vous.

« Ici, dit Rose, la marchande de fleurs, seuls ceux qui sont attirés les uns vers les autres, qui s'aiment, sont ensemble… Un mari et une femme qui se détestent, dans votre monde, ne sont tout simplement pas faits l'un pour l'autre. Ils ne seront pas ensemble ici. »

Mr Biggs et Harry, l'habitué des pubs, avaient de tendres mères pour les accueillir et s'occuper d'eux.

La mère de Biggs vivait avec sa sœur préférée. Alf Pritchett, lui, retrouva une sœur, perdue depuis longtemps ; George Hopkins, sa femme, et Mary Ivan fut presque submergée par l'amour de sa sœur, de ses parents et de son mari. Personne ne semble avoir été mis en présence de quelqu'un qu'il ne souhaitait pas revoir.

Le compte rendu que Harry fait de ses retrouvailles avec sa mère apporta de bonnes nouvelles aux couples divorcés.

« Oh, à propos, ai-je demandé à ma mère. Où est papa ?

« — Je ne suis pas avec lui, m'a-t-elle répondu.

« J'ai été, bien sûr, abasourdi. Ils n'avaient jamais été, pour sûr, le couple idéal, mais quand même…

« — C'est drôle. Pourquoi tu n'es pas avec papa ?

« — Te pose pas de questions, fils. Papa et moi, bien que nous soyons parvenus à rester ensemble – nous étions bons amis – nous n'étions pas vraiment faits l'un pour l'autre. Nous n'étions pas ce qu'on appelle « un couple idéal ». Nous en donnions seulement l'impression.

« Bien sûr, ça m'a un peu secoué. Je me suis dit : Si l'on croit à toute cette histoire de vie après la mort, on doit croire aussi à la nécessité de rester avec son mari.

« — Ici, m'a-t-elle dit, tu vis avec ceux qui te sont le plus proches, ceux avec qui tu te sens bien accordé. »

Au paradis, l'incompatibilité est reconnue comme motif de divorce. La confirmation nous en est parvenue en août 1960.

La voix d'une femme, dont le nom avait fait, par le passé, la une de tous les journaux d'Angleterre, se fit entendre.

En effectuant, en 1930, la traversée en solitaire Angleterre-Australie, Amy Johnson, une vive et charmante secrétaire, était devenue la première aviatrice

114

d'Angleterre et l'héroïne du moment. Elle avait même inspiré l'un des succès de l'époque, une chanson intitulée : « Amy, merveilleuse Amy ».

En 1932, elle avait épousé – ce fut le mariage de l'année – un aviateur écossais aux yeux bleus, Jim Mollison, qui était très porté sur la bouteille. Le mélange était explosif. Le mariage fut annulé en 1938. Et Amy reprit son nom de jeune fille.

Par un jour froid et brumeux de janvier 1941, elle avait décollé de Blackpool, comme convoyeur de guerre, aux commandes d'un bimoteur de la R.A.F., pour gagner un aérodrome de la région d'Oxford.

Elle n'était jamais arrivée à destination.

Le crépuscule tombait sur l'estuaire de la Tamise, quand un bimoteur et un parachute avaient été aperçus, tombant dans les eaux glacées.

Personne ne revit jamais Amy Johnson.

Le 6 août 1960, tandis que Woods et Betty Greene attendaient dans l'obscurité, Amy Johnson se mit à parler et décrivit les sensations qu'elle avait ressenties quand elle avait compris qu'elle était morte.

Elle s'arrêta brusquement pour dire :

« À propos, Jim est avec moi.

— Oh, oui ? dit Woods. Jim Mollison ? Peut-il dire un mot ?

— Je ne sais pas, répondit-elle. Nous nous entendons bien mais nous ne vivons pas ensemble. Nous nous rencontrons de temps à autre. J'ai peur que nous ne nous soyons pas très bien entendus, sur terre. Je crois que nous étions tous deux d'un caractère trop entier. Je crois... euh, je ne vais pas parler de mes affaires personnelles... »

La phrase resta inachevée, mais sa signification était tout à fait claire.

Des conjoints séparés gardant leur liberté ne rassurent, en quelque sorte, que négativement. Qu'advient-il de ceux qui laissent échapper leurs chances de bonheur sur terre ? Les voix nous disent que les amants frustrés ou timides reçoivent une seconde chance dans l'au-delà, et que le mariage est possible au paradis.

Nous avions laissé George Wilmot, notre chiffonnier, l'homme aux deux mariages ratés, en compagnie de son guide et de sa jument favorite.

« Nous avons marché, raconte-t-il, nous avons tourné sur la droite, puis nous avons dépassé une rangée de peupliers. Ils me rappelaient quelque chose. Je sais pas quoi. Et puis, tout à coup, ça m'est revenu ! C'était exactement cette route de France durant la guerre de 14-18. Ces merveilleux arbres de chaque côté de la route. Et je savais sans… avant même d'y être arrivé… que j'allais trouver au bout une très vieille maison, qu'elle serait pleine de gens que j'avais connus. Des gens si gentils avec moi, quand j'avais été cantonné chez eux. C'était bien ça. Il y avait la mère, la fille et le père. Ils étaient là et m'ont attendu à l'autre bout de la route près de la barrière. Ils me faisaient des signes, agitaient la main comme des fous.

« Je me suis dit que ces gens avaient dû être tués. Car j'avais appris, un peu plus tard, que l'endroit avait été bombardé. J'arrivais pas à m'enlever ça de la tête. J'avais le sentiment qu'ils étaient morts. Et je me suis dit que de toute façon, j'étais mort, que j'étais censé être dans un monde de morts et que, donc, ces gens devaient être morts, eux aussi.

« J'avais tout ça en tête. Puis je les ai regardés fixement et j'ai vu que le mari et la femme avaient l'air jeunes. Ils ressemblaient aux gens que j'avais connus, mais ils semblaient plus jeunes. J'ai revu les deux photos qu'ils avaient sur leur buffet : elle et lui, jeunes. Je crois qu'ils avaient vingt ans, à l'époque. Ils ressemblaient exactement aux deux personnes des photos. Et la fille avait l'air aussi jeune que sa mère.

« J'avais été très attiré par cette fille. En fait, si les choses avaient bien tourné, je crois que… euh… je crois que si l'occasion s'était présentée, j'aurais demandé sa main. J'étais, bien sûr, célibataire, à ce moment-là. Et je pense toujours… maintenant je sais, bien sûr… mais je pensais toujours, quand j'étais sur terre, que la raison pour laquelle mes deux mariages n'avaient pas marché… c'était parce que j'avais toujours gardé en tête le souvenir de cette fille.

« J'avais toujours pensé qu'elle était ravissante, charmante, douce, qu'elle était la femme idéale pour moi, même si nous ne pouvions pas échanger trois mots, du fait que nous ne parlions pas la même langue. »

Une surprise tout aussi heureuse attendait Harry Tucker, bandit de grand chemin. Il nous raconta, en 1968, comment il avait été sauvé alors qu'il était revenu sur terre et traînait de pub en pub.

Une fille vint vers lui et le prit par la main.

« Je l'ai regardée une fois, dit-il. C'est un visage que je n'ai jamais oublié. C'était celui d'une fille dont j'étais très amoureux, dans mes jeunes années. Tandis que nous nous regardions, j'ai compris que si j'avais pu l'épouser,

117

j'aurais été quelqu'un d'autre. Je ne me serais pas laissé aller à de mauvaises fréquentations ; je ne serais pas devenu un voleur et tout ça. Si elle n'était pas morte jeune, nous aurions peut-être pu nous marier et j'aurais été probablement différent.

« J'aurais peut-être été travailler dans une ferme, aux champs ; j'aurais fait autre chose, qui nous aurait permis de vivre. Mais elle était morte. Et à cause de ça je m'étais révolté contre tout et tout le monde.

« Elle m'a pris par la main et m'a dit :

« — Maintenant, tu peux tout recommencer à zéro. Je suis là pour t'aider, te guider, te montrer le chemin.

« J'ai quitté cette grande maison avec elle et nous sommes allés, semble-t-il, dans un endroit plus petit. C'était la lisière de… de la ville… une maisonnette avec un toit de chaume et un petit mur autour. J'avais l'impression de retourner chez moi et je n'avais pourtant jamais vu cet endroit, sur terre.

« La fille m'a paru différente quand nous sommes entrés. Elle était pourtant la même. Mais ses vêtements avaient changé et, au lieu de sa jolie robe aux motifs compliqués, elle portait une simple robe de coton… je crois que c'était du coton. Mais elle me paraissait toujours la même. Elle m'avait attendu pendant tout ce temps ; elle avait veillé sur moi, essayant de me ramener, pendant tout ce temps, dans le droit chemin. Et maintenant, nous étions ensemble. »

La plus romantique de toutes ces histoires d'amours célestes, aussi « guimauve » que ces histoires que l'on trouve dans le monde illusoire des magazines féminins, ne nous était pas encore parvenue. Le 20 juin 1969, le

118

silence qui régnait dans l'appartement de Flint était rompu par une voix féminine, à l'accent écossais :

« Je m'appelle Mary Ann Ross.

— Que vous est-il arrivé, Mary ? demanda Betty Greene. Quand êtes-vous morte ?

— Il y a longtemps. J'étais assise dans la cuisine et je faisais un peu de raccommodage sous la lampe…

— Poursuivez, oui.

— Je ne me souviens pas m'être levée.

— Qu'est-il arrivé ensuite, Mary ?

— C'est très étrange. C'est comme si la pièce s'était remplie de lumière. Je voyais toutes sortes de gens, autour de moi. Il y avait ma mère, mon père, et mon frère. Nelly, aussi – c'était une amie, l'une de mes rares amies, morte quelques semaines auparavant. Ils étaient tous dans la pièce. Je croyais que je rêvais d'eux. Nelly est venue vers moi, a passé ses bras autour de mon cou et m'a embrassée. C'était un baiser chaud, bien réel. Ma mère s'est ensuite approchée de moi et m'a également embrassée. Elles m'ont pris les mains et je me suis retrouvée en l'air. Je suis passée par la fenêtre en flottant, et puis tout est devenu noir.

« Je ne me suis souvenue de rien, jusqu'à mon réveil. J'étais au fond d'un lit, dans une très jolie chambre aux poutres apparentes. Ça ressemblait à une vieille maison. C'était douillet et accueillant, et le soleil – du moins se que je croyais être le soleil – brillait derrière les vitres. Ma mère était là, mais elle ne ressemblait plus à la personne que j'avais vue dans mon rêve. Elle avait l'air jeune comme sur la photo, prise le jour de son mariage, accrochée au mur de ma chambre. Je me suis dit que ce n'était qu'un rêve.

« — Non, ce n'est pas un rêve, m'a-t-elle dit. C'est vrai. Tu es vivante. Tu n'as pas à t'inquiéter. Quand tu seras guérie, nous sortirons et nous irons voir des tas de gens qui t'ont connue tout enfant.

« Je n'arrivais pas à me rendre compte que j'étais morte. Ce n'était qu'un rêve. Puis j'ai vu un chien sauter sur mon lit et j'ai vraiment eu peur. J'ai toujours aimé les chiens, mais celui-là était un chien que nous avions eu des années plus tôt, que mon père avait adoré, et qui s'était fait écraser par une charrette. Il s'appelait Nipper. Le voir sauter sur mon lit m'a fait vraiment peur. Je n'arrivais pas à comprendre ce qui se passait.

« Ma mère m'a dit :

« — Tu sais, nous avons aussi des animaux, ici.

« Je n'arrivais pas à croire… Quand on a été élevé comme je l'ai été, dans la religion, on ne peut pas croire que des animaux soient présents au paradis. Je pensais que tout ça était bien trop naturel pour être le paradis. Je me disais que ce serait différent, que ça ressemblerait beaucoup plus à ce qu'on voit dans les livres de caté-chisme. Vous savez, les anges avec leurs ailes, etc. Cette image-là ne semblait pas coïncider avec ma nouvelle réalité.

« J'ai dû somnoler ; du moins, j'en ai eu l'impression. Je me suis ensuite retrouvée dans ce qui semblait être un sentier, avec des arbres et des champs magnifiques, de chaque côté. Je me souviens avoir beaucoup marché sans éprouver de fatigue. Je suis arrivée au bout et il y avait, devant moi, une merveilleuse maison blanche. Elle n'était pourtant pas peinte en blanc. Elle brillait comme de la nacre.

« Comme je m'approchais, un jeune homme est sorti sur le pas de la porte. Mon cœur a bondi dans ma poitrine ! Si toutefois j'avais encore un cœur ! J'ai senti… Oh, je ne pouvais pas y croire. C'était un jeune homme dont j'avais été très amoureuse et que j'avais repoussé. Non pas parce que je ne l'aimais plus, mais parce que j'avais compris que je ne pouvais pas l'épouser. L'épouser m'aurait contrainte à quitter mes parents âgés, qui avaient besoin de moi. Je ne pouvais imposer ce fardeau à un homme, si amoureux qu'il fût de moi. Je l'avais repoussé et il ne s'était jamais marié. Il avait quitté la région peu de temps après et je l'avais perdu de vue.

« Il est sorti de la maison et il ressemblait… oh, oui… au jeune homme de trente ans qu'il avait été – grand, la peau sombre. En ce temps-là, il avait une moustache – c'est bête comme ces détails vous marquent – mais il ne la portait plus à présent. Il est venu vers moi en courant. Il a passé ses bras autour de ma taille et j'ai senti, pour la première fois de ma vie, que j'étais désirée.

« Je crois que je ne devrais pas dire ça, parce que mes parents m'adoraient, eux aussi, et je les aimais beaucoup. Mais ce n'était pas la même chose.

« — Enfin, tu es revenue, a-t-il dit. Cette fois-ci, tu ne me repousseras pas.

« Je ne savais pas quoi lui répondre.

« Puis, tout à coup, toutes les fleurs du jardin se sont mises à s'ouvrir, à s'épanouir. Je ne sais pas comment expliquer ce phénomène sans paraître stupide, mais toutes les fleurs se sont soudainement mises à croître.

« Comme si le jardin était devenu vivant. Il y avait toutes sortes de fleurs : des fleurs que je me souvenais avoir vues sur terre ; d'autres que je n'avais jamais vues de ma vie. Il y avait de gigantesques fleurs orange, semblables à d'énormes coquelicots, qui grandissaient,

grandissaient. Je me suis dit qu'elles seraient bientôt plus hautes que la maison si elles ne s'arrêtaient pas... Je me suis dit que c'était stupide. Je suis heureuse ici avec Rossi – Rossiter, vous savez – et pourtant, en dépit de ma joie de le retrouver, je continuais de voir ces coquelicots grandir, grandir au point de devenir d'énormes arbres.

« Puis, les pétales se sont ouverts et se sont mis à... tomber.

« Je ne veux pas dire qu'ils tombaient parce que les fleurs étaient fanées. Non, ils s'écartaient et, en s'inclinant, formaient comme une espèce de parasol.

« Nous sommes allés nous abriter sous ce dais et une merveilleuse lumière s'est mise à filtrer à travers les énormes pétales.

« Il m'a souri parce que j'ai dit :

« — Je n'ai jamais vu de ma vie de fleurs aussi énormes.

« — Tu sais, a-t-il dit, jusqu'à ce que tu arrives, j'ai planté bien des graines en pensée, mais rien n'a poussé. C'est seulement quand tu es arrivée que j'ai vu que j'avais un jardin dont je pouvais être fier. Ces coquelicots, comme tu les appelles, représentent mon amour. Ils ont grandi pendant toutes ces années où je te surveillais, où je veillais sur toi. Maintenant, nous sommes libres. Entre donc dans la maison.

« Je ne peux pas dire si je suis entrée en marchant ou en flottant, mais c'était comme si mes pieds ne touchaient pas le sol. À l'intérieur, tout était comme je l'avais imaginé, rêvé, souhaité. Ce n'était pas une très grande maison, mais elle était plus grande que toutes celles où j'avais vécu ; tout était parfait. Le mobilier, comme le reste, était solide et réel.

« — Maintenant, a-t-il dit, nous sommes ensemble et nous pouvons rattraper le temps perdu.

« — Je n'ai jamais été aussi heureuse de ma vie, ai-je dit. Puis j'ai pensé à mon père et à ma mère.

« — Tout est bien, a-t-il dit, c'est fini ; tu as fait ton devoir. Maintenant, tu as ta vie à vivre, avec moi. Nous pouvons rester en contact avec eux. Nous pouvons aller les voir quand tu veux. Ils peuvent également venir nous voir. Tu as tant à apprendre.

« La puissance qui me permet de vous parler – quel que soit le nom que vous lui donniez – n'est pas très forte, dit Mary pour finir. Mais je suis heureuse d'être venue.

« J'espère revenir très bientôt. »

Elle ne revint jamais. Était-elle trop occupée à vivre son bonheur éternel ?

12

Vie quotidienne

Vous êtes mort. Vous savez que vous êtes mort et vous avez surmonté le choc en constatant que vous étiez toujours vivant. Vous vous êtes éloignés de la terre, vous êtes arrivés dans l'autre monde et vous vous êtes installés dans votre nouvelle maison.

Que faites-vous à présent ?

Grâce aux questions précises de Woods et de Betty Greene, le passage de ce monde dans l'autre est une expérience que nous avons le sentiment de connaître de A à Z. Les voix s'en souviennent comme si c'était hier. Elles semblent en avoir gardé la mémoire intacte. Mais quand il s'agit de décrire ce qu'elles ont fait depuis, elles semblent ne plus se souvenir, ou du moins avoir perdu leurs capacités de description.

C'est peut-être si différent qu'elles se trouvent dans l'impossibilité de raconter leur expérience avec des mots que les hommes qui sont sur terre puissent comprendre.

En 1953, quand l'Angleterre se remettait encore du « Couronnement » et deux ans avant que la voix immatérielle de Dame Ellen Terry ne leur dicte leur mission, Woods, accompagné par trois amis, emmena Betty Greene à sa première séance chez Leslie Flint. La voix qui se fit entendre était celle de Rose, la marchande de fleurs.

Ils la bombardèrent de questions sur le monde où elle

vivait, sur la façon dont elle passait le temps. Ils lui demandèrent, en fait, tout ce qui leur passait par la tête.

Aucune des voix qui leur sont parvenues depuis, si célèbres qu'elles aient pu être sur terre, n'ont donné autant de réponses pratiques ou ne leur ont parlé avec tant de détails de ce qu'ils souhaitaient tous connaître.

« À quoi ressemble l'autre monde ? demanda Woods quand les présentations furent terminées.

— Oh, vous me demandez de… vous me demandez de décrire en termes matériels le monde dans lequel je vis ? Je ne sais pas par où commencer. Je crois que si vous pouviez vous faire une idée de toutes les belles choses qui sont sur terre sans plus penser aux mauvaises, vous auriez déjà un vague aperçu. Tout autour de vous des choses merveilleuses : des fleurs, des arbres, des animaux, des lacs…

— Le soleil brille-t-il constamment ?

— Oui. Vous pourriez croire que c'est un peu monotone, mais ce n'est pas vrai, vous savez.

— Est-il plus facile de faire pousser des fleurs là-bas ?

— Eh bien, vous semez des graines et elles poussent, mais nous n'avons pas de saisons.

— La technique est donc totalement différente ? Vous n'avez pas besoin de les arroser ?

— Elles n'en ont pas besoin. Tout ce que je sais, c'est qu'elles poussent naturellement.

— Votre monde est-il très semblable au nôtre ? demanda Woods. Seulement en beaucoup plus beau ?

— D'après ce que je sais… je m'excuse, mais je peux parler que du monde où je vis. Je veux dire par là que c'est un monde immense. Je veux dire qu'il existe plusieurs sphères, plusieurs modes de vie. Mais là où je vis, ça ressemble beaucoup à un morceau de campagne

126

anglaise. C'est ce qui est le plus proche de la vérité.
Mais je crois savoir que la nature varie, qu'il y a d'autres
paysages…

— Avez-vous des villages, des villes ?

— Nous n'avons pas de villes, au sens où vous l'entendez. Il y a des endroits où… où des milliers de gens
vivent rassemblés. Mais il y a pas d'autobus ou de tramways, toutes ces choses idiotes.

— Comment vous déplacez-vous ?

— Nous marchons. Ou bien, si nous avons une
longue distance à faire, nous pensons très fort à l'endroit
où nous voulons nous rendre ; nous fermons les yeux et,
à la minute, nous y sommes.

— Vous vivez dans une maison, Rose ?

— Oui. Mais on n'y est pas obligé.

— Quel genre de maisons ? Comme ici ?

— Différentes sortes de maisons. Certaines sont petites,
comme celles qu'on trouve dans les hameaux ; d'autres
sont immenses et abritent toute une famille. Toutes ces
maisons sont bien réelles. Je veux dire, les gens les
bâtissent. Elles ne naissent pas comme ça, vous savez. Il
suffit pas de penser à une fermette pour l'avoir.

— Non, non, murmura Woods.

— Je veux dire qu'on a ici des architectes, des décorateurs, etc. Ils créent et construisent. C'est pas un travail aussi harassant que chez vous, mais c'est un
véritable métier.

— Vous n'utilisez pas d'argent ?

— De l'argent ! Vous ne pouvez rien acheter ici avec
de l'argent, mon gars ! Ce que vous pouvez obtenir ici,
vous l'obtenez par la façon dont vous avez vécu votre
vie, dont vous agissez et dont vous pensez.

— Mais je me demandais, dit Woods, comment ils… Vous dites que vous avez des architectes pour faire votre travail ?

— Eh bien, nous ne les payons pas. Ils le font parce qu'ils aiment ça. Ils aiment dessiner des maisons. C'est pareil pour les musiciens qui adorent jouer du violon. Ils sont heureux de distraire leurs amis et les leurs. Les gens qui aiment la musique forment des orchestres, des chœurs.

— Ils font tout par amour ?

— Exactement. Tous ceux qui, par exemple, n'ont jamais eu de chance dans votre monde, et qui voulaient peut-être devenir musiciens ou artistes, peuvent étudier ici.

— Ils font toutes les choses qu'ils voulaient faire ?

— C'est ça. Pensez aux millions de gens qui ont vécu comme des esclaves sans jamais avoir la chance de faire ce qu'ils voulaient vraiment faire. Ils n'avaient pas le temps, ou l'éducation ou l'argent. Ici, ils peuvent entreprendre quelque chose qui les intéresse vraiment et ils peuvent s'y donner à fond. C'est une joie pour eux. C'est un travail, mais c'est une joie.

— Vous mangez ? demanda Woods changeant de sujet.

— Nous avons des fruits et des noix. Nous avons des arbres, des arbres fruitiers s'entend, et toutes ces choses que vous associez, dans votre monde, à la nourriture. Mais nous ne tuons pas d'animaux et ne mangeons pas de viande.

— Que faites-vous de vos fleurs ? Vous vous en servez pour embellir vos maisons ?

— Bien sûr. Vous pouvez le faire, si vous en avez envie. Vous pouvez couper les fleurs et les mettre chez vous, mais beaucoup de gens cessent de le faire au bout d'un certain temps. C'est habituellement ceux qui viennent d'arriver, qui font ça. Ils voient les fleurs et pensent que ce serait gentil d'en avoir chez eux. Mais vous finissez par comprendre que c'est pas utile. Les fleurs sont naturelles. Vous pouvez jouir de leur beauté sans pour autant les couper. Si vous êtes chez vous et que vous voulez voir les fleurs, à l'extérieur, vous avez pas besoin de sortir pour aller les regarder. Vous n'avez qu'à penser à elles et vous les voyez. Je sais pas si ce que je dis a un sens pour vous ?

— Chez nous, nous ouvririons au moins les portes et les fenêtres.

— Nous, on n'a pas besoin de le faire si on n'en a pas envie. Je veux dire que je peux rester assise sur ma chaise et je peux penser : J'ai envie de participer à la séance de Flint. Je… euh… je pense et je ferme les yeux. L'instant d'après, je suis là, avec vous. Ça peut vous paraître un peu gros, un peu bête, mais je ne peux pas vous expliquer autrement. C'est vrai. Le temps et l'espace, ça ne veut absolument rien dire.

— Et pour ce qui est du mariage, Rose ?

— Oh, sapristi ! Ça c'est encore autre chose ! Qu'est-ce que vous voulez savoir ?

— J'aimerais savoir ce que vous faites de toute l'affection qui est en vous ?

— Qu'est-ce que vous voulez dire ?

— On m'a dit que le mariage n'existait pas…

— Qu'est-ce que c'est le mariage ? C'est seulement une loi faite par l'homme. Ça ne veut rien dire.

— Vous pouvez connaître une très ardente affection sur cette terre, n'est-ce pas ?

— Oh, mon pauvre, vous avez compris de travers. Vous ne me suivez pas très bien.

— Je croyais. J'ai dû perdre le fil.

— Ce que j'essaye de vous expliquer, c'est que lorsque deux personnes s'aiment vraiment et qu'elles sont vraiment faites l'une pour l'autre, elles n'ont pas besoin d'une loi décrétée par l'homme ou d'une cérémonie pour être mari et femme… nous n'avons pas de lois sur le mariage, ici.

— Mais il n'y a pas d'enfants, alors ?

— Si, il y a des enfants ici, mais pas des enfants nés d'un mariage. C'est pas une chose physique au sens où vous l'entendez.

— Les animaux sont-ils apprivoisés ? demanda Woods, changeant de sujet à nouveau.

— Oui, apprivoisés, dieux du ciel ! Je m'attends que vous pensiez en arrivant ici pour la première fois : oh, je n'aimerais pas trouver un lion sur le pas de ma porte ! Vous ne vous direz pas ça, de toute façon, car ils sont aussi apprivoisés que votre chat.

— Les animaux ne s'entre-tuent pas ?

— Non, la faim est une chose matérielle. Ça n'existe pas ici, car le besoin de manger se perd très vite.

— Quelle bonne chose ! s'exclama Betty Greene. Plus besoin de cuisiner !

— C'est réglé de ce côté-là, ma petite. Il y a, bien sûr, des gens qui, lorsqu'ils arrivent ici, ressentent le besoin de manger. Ils le peuvent s'ils le désirent. Mais ce besoin diminue très vite et disparaît.

— Vous dormez ?

— Oh, oui. Vous pouvez dormir si vous en avez envie.

— Mais ce n'est pas nécessaire ?

— Non.

— Vous ne vous sentez pas fatiguée ?

— Non, jamais.

— Que se passe-t-il quand vous vous sentez mentalement fatiguée ? Pouvez-vous vous en aller et… ?

— Si je me sens mentalement fatiguée, je me détends, je ferme les yeux. Je me repose, je rouvre les yeux au bout d'un moment et je ne suis plus du tout fatiguée.

— Vous dites que vous ne mesurez pas le temps et l'espace. Comment faites-vous, alors, dans votre vie quotidienne ?

— Je ne sais pas. Nous n'avons pas conscience du temps. Je sais, vous ne pouvez pas comprendre. Vous voulez, bien sûr, parler du matin, de l'après-midi et du soir. Ces choses ne comptent pas pour nous. Nous avons pas de « temps », comme vous. Le temps, après tout, c'est une chose inventée par l'homme, non ?

— Connaissez-vous le jour et la nuit ?

— Non. Nous pouvons quand même voir le jour tomber, si nous le désirons. Si nous sentons le besoin de nous reposer, nous pouvons – en fermant les yeux – créer une espèce de crépuscule. Difficile d'expliquer ça.

— Rose, n'êtes-vous jamais allée sur d'autres planètes ?

— J'ai été dans quelques-unes des sphères inférieures, mais jamais sur une planète, au sens où vous l'entendez. Une planète comme la Terre, c'est ça ?

— Oui. Ou Mars ou Vénus.

— Non, jamais. Je ne sais rien de Mars ou de Vénus. Peut-être que les scientifiques qui vivent ici sauraient, eux. Moi, pas. »

Changement de sujet, à nouveau.

« Existe-t-il une chose comme la loi, l'ordre ? demanda Woods.

— Il y a la loi naturelle que nous reconnaissons dès que nous arrivons. Il n'existe pas de lois, de règlements comme les gouvernements, etc., mais il y a des lois communes que nous reconnaissons tous.

— Je vois. Y a-t-il des nuages ? Le soleil brille-t-il ?

— Le soleil brille, oui. Il y a des nuages de temps à autre et c'est ennuyeux. Le ciel est pas nécessairement bleu. Oh, non ! Il peut parfois être vert ou rouge, ou de n'importe quelle autre couleur.

— Les couleurs sont-elles belles ?

— Oh, vous ne pouvez pas imaginer. J'en ai jamais vu de pareilles sur terre. Nous ne sommes pas limités comme vous.

— Et les vêtements, Rose ? En portez-vous ?

— Bien sûr. Vous posez de ces questions !

— Des vêtements pareils à ceux que nous portons ici ?

— Non. Je ne pense pas que vous aurez un costume comme celui que vous portez, quand vous serez ici.

— Pouvez-vous nous décrire les vêtements que vous portez en ce moment ?

— Les gens portent les vêtements dans lesquels ils se sentent à l'aise. Bien sûr, les premiers temps de son arrivée, une femme pense que sa robe, c'est quelque chose d'essentiel. Elle la porte pendant un moment. Mais elle finit par comprendre que c'est sans importance. Sa vision des choses change peu à peu et elle change donc de façon de s'habiller.

— Que portez-vous en ce moment, Rose ?

— Je sais pas si ça veut dire quelque chose pour vous, mais je porte une très belle robe blanche, une longue robe avec une bordure dans le bas. Des manches longues

132

et très amples et une espèce de ceinture d'or, qui ressemble à de la corde tressée, autour de la taille.

— Quel est le tissu ?

— Je crois que le tissu le plus ressemblant serait la soie. Et j'ai les cheveux très longs.

— Vous n'avez pas de problèmes pour faire votre toilette ?

— Non. Vous pouvez aller vous baigner. L'eau vous salit pas, car il y a ni poussière, ni boue, ni saleté ici.

— Vous avez la mer, comme nous ?

— Je n'ai pas vu de mer, non. Mais il y a des lacs magnifiques et des rivières.

— Vous avez des bateaux ?

— Oh, oui ! Des bateaux splendides. Pas des bateaux de ligne, mais de jolis bateaux, comme ceux qu'il y a à Venise.

— Des gondoles ?

— Oui, très jolies et ornées de fleurs. Parfois, nous avons comme des… je crois que vous appelleriez ça des galas ou des fêtes. Tout est illuminé. Pas au gaz ou à l'électricité, non. Mais par les esprits des gens. C'est la seule façon dont je puisse expliquer ça.

— C'est charmant ! s'exclama Woods. Et vous avez des villes ?

— Oh, des villes superbes, mais encore une fois, elles ne ressemblent pas aux vôtres, si tristes et si sales. Certaines sont absolument magnifiques. Et nous avons des théâtres et des salles de concert. Tout ce que vous avez sur terre, mais à un degré bien supérieur. Tout a un but, une raison d'être. Il n'y a rien de frivole dans tout ça.

« Oui, bien sûr, nous rions. Nous avons aussi des pièces de boulevard, vous savez. Nous n'avons pas perdu notre sens de l'humour, parce que nous sommes là !

133

Quand je repense à ce que j'apprenais à l'école du dimanche ! Ils nous racontaient de ces trucs !

— Ils continuent, malheureusement, dit Betty Greene.

— Imaginez-moi, dit Rose, imaginez-moi en train de voler, de jouer de la harpe ! Assise sur un nuage, vous savez ? Ils ont vraiment de drôles d'idées !

— Si j'ai bien compris, vous avez une école d'apprentissage ? demanda Woods.

— Oh, nous avons de grandes écoles, des musées où vous pouvez aller admirer l'histoire de tous les individus et de toutes les nations. Nous avons des tas d'endroits merveilleux. Rien n'est perdu, vous savez.

— Vous parlez ?

— Pardon ?

— Est-ce que vous parlez ?

— Ce n'est pas nécessaire, mais des gens parlent. Encore une fois, c'est comme tout le reste. Après avoir passé plusieurs années, je veux dire en temps terrestre, les gens évoluent forcément et comprennent qu'ils n'ont pas besoin de parler. Ils peuvent projeter leurs pensées et celles-ci peuvent être captées par d'autres personnes. C'est un genre de télépathie.

— Une télépathie très avancée.

— Je crois. Je suis cependant pas encore très douée pour ça. J'espère l'être un jour.

— Je crois savoir, dit Woods, que tout ce que les gens font sur terre se perpétue dans l'autre monde. Est-ce exact ? »

Rose ne répondit jamais. Une autre voix se fit entendre.

« Qu'avez-vous dit ? »

Puis le silence s'installa tandis que les consultants se posaient des questions Était-elle partie ou avait-elle été réduite au silence ?

« Bonne nuit, dit-elle. Je reviendrai une autre fois. »
Un autre silence.

« Oh, j'ai oublié de vous souhaiter un joyeux Noël.

— Merci, Rose. Pour vous aussi. »

Elle tint sa promesse et revint dix ans plus tard. Elle vint faire un nouveau compte rendu de sa vie. Elle vivait toujours au même endroit. Mais Rose avait dix ans de plus. Elle avait beaucoup progressé en dix ans. Et sa nouvelle vie commençait à lui paraître différente.

13

Le silence fut interrompu le 9 septembre 1963 par une voix féminine, familière, à l'accent cockney. Une personne connue allait se manifester…

« Hello, Mr Woods. Hello, Mrs Greene.

— Hello, Rose, répondit Betty Greene.

— Comment savez-vous que c'est moi ? Je ne vous l'ai pas dit.

— Je vous ai reconnue, Rose.

— Je dois avoir une voix bien particulière. Je ne pensais pas que vous vous souviendriez de moi.

— Nous ne vous avons jamais oubliée, Rose.

— Des tas de gens viennent vous parler. Semaine après semaine, vous devez avoir tout un dossier, maintenant.

— Nous avons toujours votre… nous faisons simplement passer votre…

— Comment allez-vous ?

— Très bien, Rose. Nous écoutons toujours vos enregistrements.

— On dirait que vous attirez toujours autant de monde. À chaque fois que je viens ici, il y a foule. Je n'ai pas pu vous joindre depuis un temps fou, vous savez. Je ne vous avais pas oubliés.

— Que faites-vous maintenant ? demanda Woods.

137

— Eh bien, répondit-elle, j'adore les enfants. Je passe beaucoup de temps avec eux. J'aime bien d'ailleurs faire tout et n'importe quoi. Je sais que ça a l'air dingue pour certains, mais j'aime bien avoir des heures de calme. Je reste alors assise et je fais un peu de raccommodage, je lis, etc.

— Vous vivez toujours dans la même maison Rose ?

— Oui, et j'y suis très heureuse. Je n'ai pas envie d'en changer. Bien sûr, il y a des gens qui passent leur vie à aller de l'avant, qui bougent constamment. Ça ne me tente pas énormément. Je crois que le besoin de bouger se fera sentir un de ces quatre matins. Mais pour le moment, je vais bien, je suis très bien. J'ai une petite maison à moi, j'ai mes occupations, j'ai mes amis. Que demander de plus ?

— Comment est-elle votre maison, Rose ?

— Oh, tout à fait ordinaire. C'est un gentil petit endroit à la campagne, comme j'en ai rêvé toute ma vie, pendant que je vivais à Londres. Je me disais tout le temps : ça serait bien si tu pouvais t'installer à la campagne, y prendre ta retraite, etc. Maintenant j'ai ce que je voulais. Je ne désire rien d'autre. Je me dis, en un sens, que peut-être ce n'est pas une bonne chose. Les gens me disent qu'il faut avoir de l'ambition. Je ne sais pas. Je suis heureuse dans mon petit chez moi.

— Vous avez un jardin, Rose ?

— Oui, et je l'adore. J'y fais pousser des fleurs et je n'en cueille jamais une seule.

— Vraiment ?

— Je les laisse là où elles sont et je suis très heureuse rien que de les voir grandir. Elles semblent ne jamais mourir.

— Elles sont « la vie », en quelque sorte ?

— Oui, bien sûr, elles sont la vie. La vie même. Elles ont une vitalité à elles.

— Voyagez-vous, Rose ?

— De temps en temps. Je ne suis pas du genre à courir partout. Ça ne m'ennuie pas de sortir de temps à autre, pour aller voir des amis et faire un brin de causette, mais je n'éprouve pas le besoin de bouger constamment, comme certains. Il y en a, vous avez le dos à peine tourné, qu'ils sont déjà ailleurs. Vous ne les revoyez plus. Ils sont partis. Pas du tout mon genre !

— Vous êtes satisfaite ?

— Oui. Certains disent que ce n'est pas bien d'être satisfait, mais je ne vois pas pourquoi. Je crois plutôt que ce n'est pas bien de ne pas l'être. Les gens disent que si vous n'êtes pas insatisfait, vous n'avancerez pas, vous n'arriverez à rien. Peut-être qu'un jour j'aurai besoin de bouger. D'ailleurs je vois pas pourquoi j'irais lâcher la proie pour l'ombre. J'y connais pas grand-chose. Les gens viennent me parler d'endroits différents, de sphères différentes, comme ils disent. Tout ça a l'air très bien, mais je ne crois pas être encore suffisamment instruite. Je suis heureuse là où je suis.

— À quoi ressemble votre maison ? lui demanda Woods pour la ramener vers des problèmes plus pratiques. Pouvez-vous nous la décrire ?

— Est-ce que je peux quoi ?

— Décrire votre maison. Vous nous avez dit… est-ce une maison ou… ?

— C'est une petite baraque dans la campagne. Quatre pièces. J'ai de quoi m'occuper. Mais il n'y a jamais de poussière. Vous n'avez pas besoin de nettoyer tout le temps. Ça semble toujours très propre. Mais là encore, savez-vous ce que les gens me disent ? J'arrive pas à comprendre. Ils disent qu'on n'a de la poussière que si on a l'esprit mauvais !

« Je suis heureuse de tout laisser pousser à sa guise. Que tout aille en liberté. Et il n'y aucune gêne. Les oiseaux viennent dans mon jardin. Ils sont tout à fait apprivoisés et personne n'y trouve à redire. C'est merveilleux, non ?

— Oui, merveilleux, en effet.

— Et puis les gens parlent sans cesse de bouger. Je pense que c'est naturel pour certaines personnes un peu snobs, mais, moi, je suis heureuse comme je suis. Pourquoi je devrais bouger ? Ils sont toujours après moi et me poussent à changer, mais je veux pas. Ça m'intéresse pas. »

Elle avait à nouveau enfourché son sujet de prédilection. Woods essaya de l'en détourner.

« Rose, vous nous avez dit, la dernière fois, que vous n'aviez pas vu la mer. L'avez-vous vue depuis…

— Je ne l'ai pas vue et je ne veux pas la voir.

— Vous allez toujours au bord des lacs ? Vous avez dit… Les lacs et les…

— … et les bateaux, souffla Betty Greene.

— Oh oui, je suis allée voir des lacs. J'aime bien y aller parce que c'est calme et tranquille. Il y a pas tout ce bruit, ce remue-ménage, vous comprenez. La mer n'a jamais été mon affaire.

— Vous allez toujours dans les villes ? Vous nous avez dit qu'il y en avait.

— Oh, il y a de grandes villes. Oui, j'y vais de temps à autre. Mais c'est tout à fait différent. Je veux dire que vous ne voyez pas de magasins. Vous avez rien à faire dans les villes à moins d'être un vrai citadin. Si vous

140

avez besoin de gens autour de vous, je pense que vous éprouvez automatiquement la nécessité d'aller vivre dans les villes.

— Vous n'avez pas de voisins aux alentours ?

— Si, j'ai des voisins, et ils me ressemblent beaucoup. C'est d'ailleurs sans doute pourquoi nous habitons à proximité les uns des autres. Nous nous rencontrons de temps à autre. Nous sommes heureux à notre façon. J'ai appris à lire – une chose que je pouvais pas faire quand j'étais de votre côté. J'ai appris mon ABC et je peux lire, maintenant, emprunter des livres. Il y a des gens qui m'en prêtent ; et parfois je peux leur en prêter, moi aussi. Nous nous asseyons, nous parlons et nous lisons. Et, je sais que ça va vous surprendre, mais je suis même allée au cinéma. Je me moquais du cinéma comme de ma première chemise quand j'étais de votre côté. J'y vais maintenant quelquefois, avec des amis.

— Pouvez-vous nous décrire le genre de films que vous voyez ?

— Oh, oui. Vous pouvez, par exemple, voir des films que vous voyez aussi sur terre, des films que vous avez beaucoup aimés. Mais il y a aussi un tas de films disons moraux, très intéressants et qui nous aident.

— À quoi ressemblent les champs ?

— Splendides ! Une belle herbe verte ! Je vais vous étonner mais nous avons aussi des champs de blé.

— Vraiment ?

— Oui, et nous n'avons pas de saisons. Pas au sens où vous l'entendez. Par exemple, je n'ai jamais vu ce que je pourrais appeler la pluie.

— Vous n'avez jamais vu de pluie ?

— Et je n'ai jamais vu non plus un temps couvert ou une température torride. Il fait toujours très doux, une atmosphère légèrement chaude, et pourtant je n'ai jamais vu le soleil. Alors, je ne crois pas que la clarté, la luminosité viennent du soleil.

— Rose, l'herbe est-elle semblable à la nôtre ?

— Elle est toute moelleuse sous les pieds et elle est très, très belle. D'un vert profond. Je suis allée dans des endroits où les fleurs sont si hautes que… oh, je crois qu'elles font au moins deux à trois mètres de haut. On a l'impression de marcher dans une forêt de fleurs.

— Rose, que faites-vous du blé ? Vous le coupez, vous n'en faites rien ?

— Je ne crois pas. Je ne sais pas. Je n'ai jamais vu personne le couper. Il semble toujours là.

— Vous n'avez jamais vu de pain fait avec ce blé ?

— Non, et ça aussi c'est très drôle. Bien sûr, je ne ressens plus le besoin de manger. J'éprouvais ce besoin quand je suis arrivée, mais je mangeais surtout des fruits. Je crois qu'on perd cette envie dès qu'on s'aperçoit que ce n'est pas bien important. Mais j'étais le genre de personne qui ne pouvait se passer de sa tasse de thé. J'aime en boire et j'en bois toujours. Les gens doivent se demander où je le trouve…

— Comment vous le procurez-vous ? Pensez-vous seulement que vous avez envie d'une tasse de thé, et vous l'avez ?

— C'est très drôle, mais je ne suis pas consc… je ne vais pas à la cuisine. Je ne mets pas de bouilloire sur le feu. Je ne prépare pas le thé, vous voyez. Si je ressens le besoin de boire une tasse de thé, tout ce que je peux dire c'est que la tasse est là, devant moi.

— C'est vraiment bien.

— Bien sûr, poursuivit-elle. Certains disent – même des gens qui habitent ici – que c'est pas une réalité.

C'est seulement possible parce que je pense que ça m'est nécessaire. Mais dès que je perdrai le désir de boire du thé, ça n'existera plus pour moi. Je vous dis la vérité. C'est une des raisons pour lesquelles j'ai peur d'aller plus loin. »

Rose se mit à monologuer à nouveau, sur sa peur de changer d'endroit, de bouger. Woods l'écouta patiemment, attendit un silence pour changer de sujet. Alors, il demanda :

« Les arbres fleurissent-ils chez vous ?

— Oh oui, les arbres sont magnifiques et certains ont de très belles fleurs. Et le parfum ! Les odeurs sont merveilleuses !

— Et vous écoutez de la belle musique ?

— Oh, oui. Je suis allée à des tas de concerts. De la musique très belle. Pas intellectuelle, mais plaisante, vous savez. Pas de ce jazz comme vous en écoutez, mais des morceaux agréables. Vous voyez ce que je veux dire ? J'écoute pas beaucoup de musique religieuse. Ça me donne parfois le bourdon !

— Rose, vous nous avez dit que vous faisiez des travaux d'aiguille, dit Betty Greene. Faites-vous vos vêtements vous-même ?

— Oui. J'ai confectionné quelques vêtements et les gens m'apportent du tissu. Un monsieur très gentil que j'ai rencontré ici – oui, très gentil… Il occupe une position plus élevée que la mienne. Il ne vient jamais me voir les mains vides. Il est très généreux. Je me sens, bien sûr, toujours un peu gênée, parce que je me demande à chaque fois ce que je pourrais bien lui donner… Eh bien, il m'a apporté, il n'y a pas longtemps, un beau coupon, d'un bleu pâle ravissant. Juste la couleur que j'aime. "C'est pour vous, mademoiselle, qu'il a dit. Vous pourrez, avec ça, vous faire un très joli ensemble."

— Voyez-vous des animaux quand vous vous promenez dans la campagne ?

— Oui, bien sûr. Et je n'ai pas peur d'eux. Ici, ils sont gentils… c'est comme s'ils pouvaient vous adresser la parole. Je ne pourrais pas, bien sûr, supporter de rencontrer toutes ces choses affreuses qui rampent. Je n'en ai jamais vu et on m'a dit qu'elles étaient sur une vibration plus basse ou quelque chose comme ça. Je sais pas ce qu'ils veulent dire par là, mais elles n'existent pas ici. Et je n'ai jamais vu non plus de moustiques ou de mouches. J'ai pourtant vu des papillons, c'est étrange.

— Je suis sûr qu'ils sont ravissants, eux aussi.

— Splendides. On m'a dit qu'ils… eux non plus, ils ne meurent pas. C'est étrange, mais vous mourez pas. Rien ne meurt. Quand je suis arrivée ici, la première fois, je me suis demandé combien de temps ça allait durer, vous savez ? Je me suis demandé si c'était une autre forme de vie qui allait durer des années, une vie où l'on allait vieillir à nouveau avant de passer une deuxième fois l'arme à gauche. Je me suis même demandé s'il y avait encore autre chose après, une autre vie.

« Mais la mort n'existe pas ici. Vraiment bizarre. On dirait que ça peut continuer indéfiniment. Quand vous en avez assez, quand vous pensez que vous savez tout ce qu'il y a à savoir, vous pouvez alors vous en aller en fermant les yeux… et vous vous retrouvez dans une sphère différente… Bien sûr, j'ai rudement peur de ça. Je veux pas m'en aller, vous savez. Plusieurs de mes amis disent que je devrais, mais je ne vois aucune raison à ça.

— Vous nous avez dit la dernière fois que vous aviez les cheveux longs, dit Woods en la ramenant dans le présent.

— Oh, oui, avant que je les coupe.

— Avez-vous rencontré le Révérend Drayton Thomas ? Il nous a parlé, une fois.

— Oh, je me souviens de lui, oui. Je l'ai vu souvent, à une époque. Mais pas ces derniers temps. Je pense qu'il est parti. Sur terre, nous avions l'habitude de dire : oh, pauvre untel, etc. Ici, c'est à peu près la même chose. On vient vous voir et on vous dit : Qu'en pensez-vous ? Untel ou untel est parti…

— Pour une autre sphère ?

— Oui, j'ai perdu un tas d'amis comme ça. Ils sont partis, mais je vous le dis, moi je reste.

— Vous avez des chevaux ? lui demanda Woods avant qu'elle ne reparte de nouveau sur son sujet favori.

— Oui.

— Savez-vous monter à cheval, Rose ?

— Oh, non. Pas moi. Moi, sur un cheval ! Oh, mon Dieu, non. Vous ne pourriez pas me faire monter en selle. J'adore les chevaux, mais de loin. Ils me font un peu peur. Depuis toujours. Dites… vous me voyez en train de galoper ?

— À quoi ressemblent les villes ?

— Je dois dire qu'elles sont très belles. Je vis pas en ville, mais elles sont joliment arrangées. De merveilleux jardins et toutes sortes de parcs et d'endroits pour les enfants. Et des tas de bâtiments où on peut se distraire. Rien de vulgaire et de sale. Des choses de goût, mais distrayantes. J'ai été au théâtre et j'ai vu des pièces. J'ai vu beaucoup de gens célèbres sur lesquels j'avais lu des tas d'articles, car je n'allais presque jamais au théâtre, avant. Je ne pouvais pas me le permettre. Je me payais de temps à autre une place au poulailler pour voir une ou deux vedettes. Ici, j'en ai vu pas mal. La plupart font le même travail ici.

— Les villes sont-elles hautes en couleur ?

— Oui, belles… euh… hautes en couleur, oui, mais ça dépend de ce que vous voulez dire par là. Pour moi, ça ne veut rien dire que les maisons sont peintes en rouge, en blanc ou en bleu.

— Non, non bien sûr. Et l'architecture ?

— Oh ! Jolie et variée.

— À quoi ressemble la pierre ?

— Je sais pas… je dirais à de la nacre.

— Splendide ! s'exclama Betty Greene.

— On croirait vraiment que c'est de la nacre, car la pierre a de merveilleuses nuances.

— Et la chaussée ? Elle est faite avec le même genre de pierre ?

— Ça ressemble à de la pierre, mais je peux pas dire si ça en est vraiment. Il y a aucune circulation. Pas de voitures, pas de cyclomoteurs, rien de tout ça. Les gens sont heureux de marcher. Personne ne circule à cheval. Pas besoin. Pas d'effort à fournir pour marcher.

— Si vous voulez aller assez loin, vous y allez par la pensée, n'est-ce pas, Rose ?

— Je sais pas si on y va exactement par la pensée. Non, je crois que c'est seulement parce que vous en exprimez l'envie que vous y allez vraiment. Sans effort.

— Avez-vous des forêts ?

— Oui, bien sûr. Oui, de merveilleuses forêts. Ici, tout est merveilleux, vous savez. Personne ne doit avoir peur de mourir. C'est quelque chose que tout le monde devrait attendre avec impatience, et comprendre – à moins d'avoir quelque chose de terrible sur la conscience. Bien sûr, je crois que tout le monde a quelque

146

chose à se reprocher, mais une personne normale n'a rien à craindre. Je veux dire que même la personne la plus méchante, à ce que j'ai entendu dire, ne se sent pas perdue. Elle est aidée, guidée et parvient finalement à sortir du trou où elle était.

« Quelqu'un de normal n'a aucune raison de s'inquiéter. Je n'étais pas particulièrement bonne ni mauvaise. Mais je dois dire que je me suis fait ma petite vie et que c'est pour ça que je ne désire pas changer, pour rien au monde.

« Les gens ont la manie de changer. Il y en a qui ne connaissent pas leur bonheur. Pas vrai !

— Maintenant vous vivez une vraie vie, Rose, celle dont vous aviez toujours rêvé.

— Oui. C'est pour ça que je ne suis pas disposée à en changer.

— Vous êtes heureuse là où vous êtes ?

— Très heureuse. Bien, je dois m'en aller. Soignez-vous bien. Je suis heureuse de vous avoir entendus et de savoir tout le bien que vous faites.

— Revenez nous voir, dit Betty Greene avec empressement.

— Certainement, ma chère Betty. Toutes mes amitiés, George. Au revoir. »

Elle tint une fois de plus sa promesse. Mais quand elle revint les voir, elle était encore plus heureuse. Son gros souci avait disparu. Le changement ne lui semblait plus, après tout, aussi terrible qu'elle l'avait imaginé.

14

Rose est heureuse. Mais une vie qui est bonheur pour une marchande de fleurs sans instruction n'est qu'ennui pour un comédien, un écrivain ou un homme politique. En tant que publicité pour le paradis, le cas de Rose a ses limites. N'y a-t-il rien d'autre à attendre, dans cette vie éternelle, qu'une interminable succession de tasses de thé, de conversations ponctuées de temps en temps de promenades et de séances de cinéma ?

Les voix suggèrent qu'il y a autre chose. Mais les esprits cultivés restent très avares de détails.

Un trait particulièrement frustrant et curieux est que les intellectuels qui communiquent – personnalités bourrées de talent, grands noms, parfois, de notre monde – semblent beaucoup trop préoccupés par les problèmes moraux que pose notre terre pour être en mesure de décrire leur mode de vie, dans l'au-delà.

Deux d'entre eux en dirent juste assez pour rétablir l'équilibre et pour laisser penser qu'il y avait, dans l'au-delà, autre chose que de simples conversations, une absence totale de poussière, des maisons idéales et des jardins de rêve.

Le 9 octobre 1957, le silence fut rompu par une voix à l'accent américain particulièrement familier.

« Je ne pense pas avoir déjà eu le plaisir de parler avec vous, dit la voix.

149

— En effet, répondit Betty Greene. Vous êtes Lionel Barrymore.

— Comment le savez-vous ? »

Deux ans auparavant, en novembre 1954, Lionel Barrymore, philosophe bourru du monde cinématographique, regardait la télévision dans sa maison de Hollywood, quand il avait succombé à une crise cardiaque.

Il avait été transporté à l'hôpital, était tombé dans le coma, et était mort. La vedette d'un nombre incalculable de films des années trente, le Gillepsie du Docteur Killdare, s'était tue. Ses derniers mots, juste avant que l'attaque ne le terrasse, avaient été ceux que Shakespeare avait mis dans la bouche de Macbeth :

La vie n'est qu'une ombre qui passe, un pauvre histrion qui se pavane et s'échauffe une heure sur la scène et puis qu'on n'entend plus [1]…

Betty Greene était convaincue d'entendre la voix de Lionel Barrymore à nouveau.

Woods se joignit à la conversation en prononçant la phrase habituelle :

« Où vous êtes-vous retrouvé après la mort ? Avez-vous trouvé un monde semblable au nôtre ?

— Je ne dirais pas semblable, répondit Barrymore. Semblable peut-être en ce qui concerne la nature. Mais je n'ai pas vu d'automobiles ni de tramways. Je crois qu'ils existent dans les sphères inférieures, plus près de la terre. Tout dépend de l'état d'esprit des gens qui habitent l'endroit.

1. Éditions de la Pléiade, traduction de Maurice Maeterlinck.

« Quand je suis arrivé ici, la première fois, je me souviens très bien m'être réveillé dans une espèce de… euh… je ne peux décrire cet endroit… c'était un merveilleux jardin. Pas très différent de celui que j'avais tant aimé, enfant. Mon père et ma mère étaient là. Quand j'ai ouvert les yeux, ma mère était devant moi. Elle était aussi jeune que dans mon souvenir. C'était une expérience magnifique.

« Puis une foule d'amis est arrivée. Des gens que j'avais connus, jeune. Comme vous le savez, quand j'ai commencé à vieillir, une de mes jambes est devenue infirme. Il m'arrivait souvent de rêver tout éveillé à ma jeunesse. Je crois, en mourant, que mes dernières pensées sont allées vers ma jeunesse.

« J'ai un chien ici que j'aimais beaucoup. Si quelqu'un m'avait dit, il y a des années, que les animaux existaient après la mort, je ne l'aurais pas cru. Je n'ai jamais vraiment cru que les chats, les chiens, les chevaux avaient une âme. Je m'aperçois, aujourd'hui, que nous sommes énormément responsables du monde animal, et qu'il dépend de nous beaucoup plus que nous ne voulons le penser… Je ne sais pas si vous m'entendez.

— Si, si, dit Woods. Votre voix est très claire. J'enregistre ce que vous dites.

— Ah oui, vous avez un magnétophone. Vous savez, bien sûr, que mon frère John est avec moi ? Nous ne nous entendions pas très bien, sur terre. Mais ici, c'est le contraire. Deux larrons en foire.

— Que faites-vous ? demanda Woods.

— Eh bien, répondit-il, je suis toujours très intéressé par le théâtre. Nous donnons des représentations. Tout ce que nous faisons ici a un motif. Toute pièce produite, tout spectacle réalisé a un but véritable. Ce n'est pas fait uniquement pour distraire et amuser.

« Nous jouons, par exemple, des pièces – que vous appelleriez moralisantes – dans les sphères inférieures et nous reproduisons la vie de certains individus que nous apercevons parmi les spectateurs. Ça les aide à se voir tels qu'ils sont. Alors, ils se mettent à réfléchir plus sérieusement ; ça leur permet de faire le point sur eux-mêmes et de désirer une existence meilleure.

« J'ai rencontré Flo Ziegfield ici. Il continue de produire ce que vous appelleriez des shows à grand spectacle. Je ne veux pas parler du genre Folies-Bergère, non !

« Ici, nous traitons la nature dans le bon sens, le vrai. Nous sommes conscients des talents dont nous avons été dotés. Tous les gens trouvent un travail intéressant à faire. Certains créent des costumes, d'autres dessinent ou font les décors de nos pièces. D'autres encore composent de la musique.

« J'en ai entendu, ici. Elle n'a rien à voir avec ce que vous entendez sur terre. Quelques grands compositeurs ont écrit de nouveaux morceaux, si magnifiques que je ne puis vous en parler. Pendant qu'ils les interprètent, l'atmosphère change de lumière et de couleurs. C'est absolument magnifique ! Oh, je pourrais vous raconter mille autres choses.

— C'est très intéressant, dit Woods d'un ton encourageant. Quel genre de théâtres avez-vous ? À quoi ressemblent-ils ? À ceux que nous avons sur terre ?

— Oui, certains. D'autres n'ont rien à voir. Nous avons des théâtres très proches des vôtres : beaux plafonds et moquettes. Auditoriums merveilleusement installés. Nous avons également de grands amphithéâtres en plein air – je crois que vous appelleriez ça des théâtres de verdure.

On y monte toutes sortes de pièces – les classiques comme les autres.

« Toutes les grandes pièces de Shakespeare sont jouées ainsi que – et là, est le détail intéressant – de nouvelles pièces. Bien plus belles que toutes celles que vous voyez sur terre. Shakespeare continue d'écrire, de monter ses pièces et de les jouer. Spencer, également.

— Écrivent-ils toujours comme ils écrivaient à leur époque ? demanda Woods.

— Non. L'expérience aidant, le style change naturellement. Si Shakespeare vivait aujourd'hui, il écrirait de très grandes pièces, comme il en écrit chez nous, mais les dialogues seraient d'une langue plus moderne. Il aurait écrit plus de pièces que n'importe quel autre écrivain contemporain. Je reviens parfois sur terre pour voir des pièces. À quelques exceptions près, elles sont bien mauvaises.

— Avez-vous rencontré Shakespeare ? demanda Woods.

— Oui et je peux régler le problème, une bonne fois pour toutes. Ça ne fait aucun doute. Il a bien écrit ses pièces lui-même. Ça ne veut pas dire qu'il ne se soit jamais servi des pièces anciennes et ne les ait pas remises à neuf, mais je peux vous assurer que lorsque vous assistez à une représentation d'une pièce de Shakespeare, elle est bien de lui.

— Avez-vous rencontré des chanteurs célèbres

— Bien sûr, plus d'un.

— Kathleen Farron. L'avez-vous rencontrée ?

— Vous voulez parler de Kathleen Ferrier. La jeune Anglaise, morte il y a quelques années ? Oui, je l'ai rencontrée. C'est un être étonnant. Elle a une voix merveilleuse. Savez-vous que la moitié de son charme est due à l'extraordinaire personnalité qui passe dans sa voix. J'ai écouté plus d'un grand artiste sur terre, mais je les ai tous vus se transformer en chats sauvages une fois dans les coulisses. Mais celle dont vous parlez était complètement différente. »

Voulait-il dire « est » ou « était » ?

« Si vous pouvez communiquer par la pensée, sans parler, chantez-vous encore au paradis ? »

Nous devions attendre. Barrrore s'était tu. Puis il dit :

« Désolé d'interrompre la conversation de cette façon-là, mais ça me demande trop d'effort. Je reviendrai un autre jour. Je comprends bien que vous ayez besoin de preuves, mais toutes ces questions me fatiguent.

— Nous cherchons des éléments, dit Woods, que nous puissions faire écouter aux gens, afin de leur apprendre quelque chose.

— Vous pouvez faire écouter ces enregistrements à tous vos amis, à ceux que ça intéresse. Je vous garantis, très sincèrement, que s'ils cherchent quelque chose, ils le trouveront. Je suis de tout cœur avec vous. Au revoir. »

Le nouveau monde de Barrymore semble beaucoup plus satisfaisant que celui de Rose. Mais ils ont de nombreuses similitudes. Seuls les personnalités et les intérêts divergent. Modifiés par ce qu'ils ont appris depuis leur mort.

Les gens se développent dans l'autre monde, mais ils semblent mettre du temps à changer. Une confirmation inattendue nous parvint cinq ans et demi plus tard, le 20 août 1962.

Une voix masculine se fit entendre. Elle était ample et précieuse.

« Je suis ravi de me trouver parmi vous.

— Très heureux, dit Woods.

— Je ne suis point sûr que vous puissiez m'entendre, poursuivit la voix.

— Continuez, ami, l'encouragea Betty Greene. Nous vous recevons parfaitement.

— Étant donné que je ne fais rien de précis à l'heure actuelle, dit la voix d'un ton légèrement moqueur, je ne vois pas comment vous pouvez dire que vous me recevez parfaitement.

— Nous pensions que vous aviez dit quelque chose et que vous craigniez de ne pas voir été entendu.

— Je ne passais pas pour un homme parlant pour ne rien dire.

— S'il vous plaît, pouvez-vous nous dire votre nom ?

— Si je ne pouvais dire quelque chose qui vaille la peine d'être dit, je préférerais m'abstenir de parler.

— Qui parle s'il vous plaît ? »

La voix ignora la question de Betty Greene, avec un souverain mépris.

« C'est extraordinaire ! Être mort est quelque chose de bien extraordinaire ! Surtout quand vous vous adressez à des gens qui sont sur terre, qui "vivent" dit-on, et qui sont, généralement, amorphes et sans intérêt ! C'est vraiment extraordinaire ! »

Il y eut un « oui » gêné de Woods.

« Il semble que mes travaux, mon œuvre aient provoqué l'intérêt… »

Un autre silence.

« Cher ami, poursuivit Betty Greene, pouvons nous connaître votre nom ?

— Mon nom m'a causé bien des ennuis quand j'étais de l'autre côté, quand je vivais dans votre monde.

— Quand nous faisons écouter ces bandes, les gens nous demandent qui parle !

— Dites-leur que c'est le colonel Bogey !

— Je ne crois pas qu'ils avaleraient ça ! dit Woods. Peu importe, nous sommes très heureux, cher ami, d'être en relation avec vous.

— Je suis certain que vous êtes bien plus heureux de m'entendre que je ne le suis d'être venu. Il eût été plus correct que je le fusse. J'aurais aimé que cette conversation fût plus agréable, fût un échange de répliques entre deux comédiens.

— Ah, dit Betty Greene, vous avez écrit des pièces ?

— Oh, vous devriez le savoir. Je m'appelle Wilde.

— Oh ! dit Woods, j'ai lu tous vos livres.

— Quelle chance vous avez ! Je pense que je devrais être très flatté. Je ne touche pourtant pas beaucoup de droits d'auteur ! Aucun doute, vous êtes abonné à une excellente bibliothèque ! »

Il était temps pour Betty Greene de poser l'une de ses questions rituelles :

« Mr Wilde, dit-elle fermement, pouvez-vous nous parler de la vie que vous menez, de ce que vous faites de l'autre côté ?

— Je dois admettre, répondit-il, que c'est un soulagement que de m'entendre demander de parler de ma vie dans l'au-delà et non de celle que j'ai eue sur terre. De toute façon, les colporteurs de ragots la connaissent par cœur. Vous seriez horrifiés si je vous disais que ma vie, ici, n'est pas très différente. Et c'est pourtant la vérité ! Je n'ai aucun regret, d'ailleurs. Je suis parfaitement heureux. Je vis délicieusement dans le péché. Dans l'optique, du moins, que s'en fait votre monde. Être naturel et humain n'est pas jugé ici comme un péché.

Sur terre, oui. Le monde se fait une drôle d'idée du péché. Je suis parfaitement heureux et je mène une vie naturelle.

— Que faites-vous ? persista Woods.

— Pourquoi vous raconterais-je ce que je fais ?

— Ça nous intéresse, dit Betty Greene.

— En fait, pour parler sérieusement, je continue à écrire et mes pièces continuent d'être montées. On fait souvent appel à moi pour venir en aide, dans les sphères inférieures. Étrange, devez-vous penser, que l'on m'appelle, moi, à l'aide dans les sphères inférieures !

— Pas du tout, dit Woods.

— Vous pourriez même l'interpréter comme… Bref, je suis sans doute utile dans les sphères inférieures car je n'ai pas, en fait, beaucoup progressé moi-même ! Mais je suis à l'unisson de tous. Mon esprit me donne le laissez-passer nécessaire, même si ma réputation ne me le donne pas. Ma réputation ne m'inquiète pas beaucoup, mais ça semble en tracasser plus d'un, chez vous. Depuis ma mort, ma réputation a fait gagner beaucoup d'argent, plus que mes pièces ne m'en ont rapporté ! Le péché est donc une chose qui marche bien.

— Vous avez toujours eu l'esprit très large, n'est-ce pas ? dit Betty Greene.

— J'ai toujours été prêt à accueillir l'inspiration, d'où qu'elle vienne. Je dois dire que mes ouvrages les plus réussis l'ont été parce que j'avais l'esprit très ouvert. Je suis sûr que si je n'avais pas été là, vous n'auriez jamais eu de pièces aussi réussies que celles que j'ai fait jouer. Mais tout cela est matière à débat. Ce qui est poison pour l'un peut être or pour l'autre.

— Oh, non. Je pense que chaque écrivain trouve son inspiration quelque part.

— Ne nous enlevez pas notre personnalité, voulez-vous ? Ne nous enlevez pas notre originalité, ma chère. Je suis tout à fait prêt à admettre que j'étais inspiré. J'inspirais également les autres. En fait, je suis devenu très impressionnant aujourd'hui. Peut-être est-ce parce que je suis mort…

— Mr Wilde, dit Betty Greene.

— Vous voulez que je sois plus sérieux ? Être sérieux, c'est souvent être mortellement ennuyeux !

— Non, non ! dit Woods rapidement Ce ne peut être votre cas. Je vous en prie !

— Tant de gens sur terre étaient si sérieux qu'ils en devenaient immanquablement ennuyeux. Je me refuse à leur ressembler, à ces gens-là. Je le fais délibérément, car il y en aura toujours pour dire : comment être sûr que c'est bien Oscar Wilde ? On s'attend à ce que je revienne sous les mêmes traits – avec les paroles, les réactions que l'on m'attribue habituellement. Je le fais pour vous, mes pauvres chéris, parce que vous vous démenez comme de beaux diables pour convaincre les autres. Si je peux vous aider en ce sens, je ferai une bonne action qui m'aidera peut-être à effacer quelques-uns de mes vilains défauts !

— Mr Wilde, demanda Betty Greene, avez-vous appris quelque chose depuis que vous vivez dans l'autre monde ?

— Je serais un bien étrange individu si je n'avais rien appris ! Après tant de temps ! Nous apprenons tous quelque chose, que nous le voulions ou pas, que nous soyons bons élèves ou pas. Peu importe que le professeur soit mauvais.

— Avez-vous été surpris en vous retrouvant de l'autre côté ?

— Rien ne m'a jamais surpris. Et certainement rien, en ce qui concerne Dieu, n'aurait pu me surprendre, étant donné qu'il faisait constamment lui-même des choses surprenantes, si l'on en croit la Bible.

— Oui, mais comment avez-vous réagi après votre mort ? Pouvez-vous nous décrire la façon dont vous êtes mort et comment s'est effectué votre passage ?

— Oh, je suis mort comme tout le monde.

— Oui, mais vous avez bien dû vous retrouver quelque part. Dans un jardin, dans une pièce, dans…

— Pourquoi aurais-je dû me retrouver dans un jardin, dans une pièce ? Il serait gênant, par exemple, de se réveiller dans le boudoir de Lady Cinthya à un moment crucial et inopportun ! »

Betty Greene s'entêta.

« Non, je veux parler des gens que vous avez pu rencontrer. Quelqu'un a dû venir à votre rencontre et vous aider à effectuer votre passage de ce monde dans l'autre ?

— En fait, ma mère est venue m'attendre.

— Et comment avez-vous trouvé l'environnement, là-bas ?

— Vous ne pouvez naturellement pas vous rendre dans un autre pays sans le trouver totalement différent. Mais ce qui m'a paru le plus extraordinaire et le plus intéressant, c'est que les gens étaient les mêmes. Les situations, le pays, notre attitude face à la vie pouvaient être différents… mais les gens, merci mon Dieu, étaient les mêmes.

« Ils ressemblaient à ce qu'ils avaient toujours été. Et du coup, je me suis senti chez moi. J'ai rencontré des gens que j'avais admirés, d'autres que je n'avais jamais appréciés et que j'ai, depuis, appris à admirer pour différentes raisons. J'ai beaucoup voyagé, je suis allé dans beaucoup d'endroits, dans de nombreuses sphères, de nombreux pays si vous préférez.

« Il n'y a de barrière que celle que l'on s'impose intérieurement : notre propre barrière spirituelle. Les barrières sont faites et érigées par l'homme. On apprend à les écarter.

« Au bout de très peu de temps ici, nous comprenons très bien que nous faisons tous partie les uns des autres. Tous les enfants de Dieu se fondent finalement, même s'ils conservent leur personnalité, leur individualité. Nous nous fondons les uns dans les autres et atteignons ainsi l'harmonie et la paix, chacun perdant ses propres centres d'intérêt.

« Certains éprouvent le besoin et la nécessité de travailler. D'autres, non. Je préfère continuer d'écrire, parce que l'écriture a toujours été ma raison de vivre.

— On a souvent parlé de votre procès, dit Betty Greene.

— Oh oui, je sais. Ce fut la période la plus féconde de ma carrière.

— Mr Wilde, avez-vous... »

Il l'interrompit.

« Je trouve qu'il est bien difficile de vous parler, très irritant, dirais-je même. Tout se passe comme si je n'arrivais pas à y voir clair dans mon esprit. J'ai constamment des blocages, je sens des obstacles. Mais je m'améliorerai sans nul doute. Poursuivez. Que voulez-vous savoir ?

— Je crois, poursuivit Betty Greene, que tous les gens ont des regrets, quand ils meurent. En avez-vous à exprimer ?

— Mon premier regret est de ne pas être resté plus longtemps sur terre.

— Vraiment, pourquoi ?

— Parce que j'avais encore des tas de choses à écrire. Je voulais également me faire réhabiliter, aussi étrange que cela puisse paraître. J'étais assez vain pour croire que j'arriverais à retrouver mon ancienne place dans le monde. J'ai changé depuis.

— Avez-vous rencontré Bernard Shaw ?

— Si j'ai rencontré Shaw ? Bien sûr ! Quel homme ! Un personnage extraordinaire. Brillant, encore que… Mais je ferais peut-être mieux de ne pas dire cela ! Je suis censé être au-dessus de ça !

— À quoi ressemble votre monde ? La sphère dans laquelle vous vivez ? Pouvez-vous nous dire quelque chose à ce sujet ?

— Que voulez-vous dire ?

— Vos théâtres, etc. Il y a des théâtres, n'est-ce pas ? vous écrivez toujours ?

— Oh, j'écris toujours. Notre monde est, comme vous devez le savoir, très semblable au vôtre. Nous avons toutes sortes de paysages auxquels vous êtes habitués… mais ils sont plus beaux. Comme vous le savez, la nature est omniprésente, mais nous en ignorons les aspects les plus irritants. Nous n'avons pas, par exemple, tous ces insectes comme les mouches, les perce-oreilles et toutes ces choses agaçantes que la nature invente pour embêter l'homme. Heureusement, elles semblent avoir disparu. Nous disposons de toutes les merveilles de la nature sans en avoir les inconvénients. Plus de mouches répugnantes !

— À quoi ressemblent vos bâtiments ? demanda Woods.

— Il en existe de toutes sortes, mais dans la sphère ou j'habite, ils sont de toute beauté…

— Existe-t-il des villes, des cités… ?

— Oui, vous pourriez très bien appeler ça des villes. Ce sont des endroits où vivent des milliers de personnes.

— Mais vous n'avez pas de voitures, n'est-ce pas ?

— Non, grâce à Dieu, nous n'avons pas ce genre d'engins. Nous avons toujours les chevaux et tous les animaux domestiques qui signifient tant pour l'humanité et dont elle a tellement reçu en retour.

« Les animaux sont très proches de l'homme. Malheureusement, les humains sont souvent très proches des animaux ! Je me dis parfois que les animaux sont plus avancés qu'eux. Au moins suivent-ils leurs instincts naturels. On ne les condamne pas pour leur mauvaise tenue. Les êtres humains ont toujours des problèmes dans la recherche désespérée de leur véritable identité. L'homme devrait avoir la possibilité d'être lui-même, d'être son propre soi. C'est ainsi seulement qu'il peut espérer se développer. »

Woods le ramena à des données et des renseignements concrets en lui demandant :

« Avez-vous une maison où vous puissiez écrire ?

— Oui. Une très belle maison. Une maison selon mon cœur. En un sens, je crois que c'est parce que je l'ai créée. Sans même m'en rendre compte, je l'ai créée en y venant souvent en pensée – mes meilleures pensées.

— Avez-vous un jardin ?

— Oui. Pas très grand, mais suffisant. Je n'ai jamais été un fanatique de la vie au grand air. J'appréciais la nature mais je préférais l'observer de loin. On perçoit souvent plus clairement quand on regarde de loin. »

Puis soudainement, la conversation s'acheva.

« Je dois m'en aller, dit la voix. Je reviendrai une autre fois, si je le peux.

— C'est très gentil à vous d'être venu.

— Merci, Mr Wilde, ajouta Betty Greene

— Ce fut bien sympathique, dit la voix. Si je vous ai parfois donné l'impression d'être… quelque peu cynique, je l'ai fait exprès, pour vous, et pour aider les autres. Si je ne m'étais pas montré semblable à ce que j'étais, les gens pourraient dire que ce n'est pas ma voix, que ce n'est pas moi qui parle. Je l'ai fait pour vous. Mais je reviendrai parler avec vous un de… euh… en temps voulu.

« Que Dieu vous bénisse. C'est la façon, je crois, de dire au revoir, chez les spiritualistes. Que Dieu vous bénisse, mes amis ! Je vous le dis du fond du cœur. Je suis avec vous. Au revoir. »

La voix qui prétendait être celle d'Oscar Wilde se tut.

15

Maisons et jardins

Dans toute enquête sur l'au-delà, on finit par poser l'inévitable question : pouvez-vous nous décrire, en termes simples, la journée d'une maîtresse de maison au paradis ?

Après avoir étudié plusieurs centaines de rapports de témoignages enregistrés, je dois honnêtement répondre que je ne le peux pas.

Le jour et la nuit n'existent pas. Pas plus que n'existent de maîtresse de maison ni de vie domestique typique. Tous, nous dit-on, parviennent à un état de conscience créé par eux-mêmes, selon la vie qu'ils ont menée sur terre. George Harris ne pouvait pas imaginer de vie sans empiler de briques. Il continua de le faire, au paradis. Lionel Barrymore ne pouvait pas imaginer de vie sans jouer la comédie. Il continua de la jouer. Rose ne pouvait pas imaginer de vie sans boire de tasses de thé. Elle continua d'en boire.

Personne, nous dit-on, ne reste immobile. Tous se développent et progressent. La vie de chaque individu évolue, au paradis, comme elle évoluait sur terre.

À quelles questions pouvons-nous répondre ? À quoi ressemble une maison au paradis ? Que pousse-t-il dans les jardins célestes ? Mangent-ils ? Dorment-ils ? S'amusent-ils ? Comment se détendent-ils ? Que font-ils exactement ?

Le mot essentiel est exactement.

Woods et Betty Greene posèrent toutes les questions nécessaires et reçurent une foule de réponses. Les voix sont-elles restées intentionnellement vagues ? Se sont-elles trouvées dans l'impossibilité de décrire une existence hors du temps, dans un monde aux dimensions différentes, et cela dans un langage que nous pourrions comprendre sur terre ? Nul ne saurait le dire, mais les réponses furent rarement précises.

Nous ne pouvons que regrouper ces témoignages et voir ce qu'il est possible d'en tirer.

Si l'on s'en remet à l'enseignement religieux traditionnel concernant le paradis, on en est pour son compte.

« Je pensais que ce serait différent, dit Mary Ann Ross. Que ça ressemblerait beaucoup plus à ce qu'on voit dans les livres de catéchisme. Vous savez les anges avec leurs ailes, etc. »

C'était tout à fait différent. Pas d'anges. Pas d'ailes. Pas de harpes. Les premières impressions portent toujours sur la similitude qui apparaît entre la terre et le paradis.

« Nous avons ici la réplique de tout ce que nous avons connu », dit la mère de Mr Biggs.

« Je parle, dit Alfred Higgins, le peintre et décorateur de Brighton, des conditions de vie, très semblables à celles de la terre. Le monde dans lequel nous vivons est, sous certains aspects, très, très proche et très naturel. »

Mary Ivan nous dit qu'ils respirent même de l'air.

« Je ne sais pas si c'est de l'oxygène, dit-elle, mais j'appelle ça de l'air, car on a conscience de respirer. »

Un certain Mr George Ohlson, ami intime de Woods, raconta :

« Je crois que c'est la réalité de tout ça qui m'étonne le plus… ce n'est pas une affaire terne et insipide. Ce n'est pas quelque chose de vague. C'est une véritable existence. »

La première réalité permanente de ceux qui meurent est leur nouvelle maison. Nombreux sont ceux qui la décrivent en des termes semblables à ceux employés sur terre.

Alf Pritchett, vous vous souvenez, fut emmené par sa sœur dans « une petite maison, qui ressemblait étrangement à celles qu'on voit dans la campagne anglaise… il y avait une chambre confortable et douillette d'un côté du couloir. De jolies chaises. Pas de cheminée ».

Souvenez-vous de Mr Biggs rendant visite à sa tante May…

« La petite maison était toujours là, l'une des quatre dernières au bout de la rangée… Un petit jardin… ils m'ont fait entrer… tout reluisait comme un sou neuf. »

Ted Butler se réveilla :

« Dans un ravissant petit salon… rideaux de chintz aux fenêtres… joli tapis sur le parquet. »

Terry Smith se fraya un chemin jusqu'à un lieu très semblable :

« Elle m'a emmené dans ce que vous appelleriez, je crois, un salon – une adorable petite pièce avec de très jolis rideaux en chintz et de bien belles chaises. Tout ça avait un côté très douillet. »

Oscar Wilde fut encore moins précis.

« Une très belle maison, dit-il. Une maison selon mon cœur. »

Mais aucun détail.

En 1962, une voix disant être celle d'Elisabeth Fry, une quakeresse philanthrope et qui s'occupait de la réforme des prisons, prit la parole pour nous fournir un peu plus de détails sur notre connaissance des maisons célestes.

« La maison, dit-elle, ressemble à une maison basse, en bois, au toit de chaume… la maison est quelque chose d'aussi important à mes yeux qu'elle l'est aux vôtres.

« Les êtres humains aiment avoir un "chez soi", un endroit qu'ils peuvent transformer selon leur goût, un endroit qui sera, d'une certaine manière, le prolongement de leur manière de penser. C'est pourquoi il existe différentes sortes de maisons. Je suis attirée par celle dans laquelle je vis, parce qu'elle me donne un sentiment de solidité, de sécurité. Elle est belle à mes yeux, à ma pensée. Elle me suffit. Elle n'est pas grande. Elle est juste comme il faut. Et les meubles sont simples. »

Tout cela nous paraissait très beau, à nous aussi. Mais pour un agent immobilier qui tenterait de vendre un tel prototype de maison, la description d'Élisabeth Fry semblerait affreusement vague.

Ce fut Rose, toujours aussi pratique, qui nous donna les premiers détails essentiels concernant sa maison :

« C'est un endroit minuscule. Quatre pièces. J'ai de quoi m'occuper. »

Que sont ces quatre pièces ? Elle ne nous l'a pas dit. La seule pièce décrite est la salle de séjour. Ont-ils des chambres, des salles à manger, une cuisine, une salle de bains, des toilettes ? Si ces pièces ne sont pas indispensables, ont-ils alors une salle de billard, une bibliothèque, un bureau ?

Personne ne nous l'a jamais dit.

Presque toutes les maisons décrites possèdent un jardin, se trouvent à la campagne – qui ressemble d'ailleurs à la campagne que nous connaissons sur terre… mais en plus beau.

« Les fleurs sont naturelles, dit Rose. Elles ont une vie. Vous pouvez les couper et les mettre chez vous. Mais beaucoup de gens cessent de le faire, au bout d'un certain temps. Si vous êtes chez vous, et que vous voulez voir les fleurs qui sont à l'extérieur, vous n'avez pas besoin de sortir pour aller les regarder. Vous n'avez qu'à penser à elles et vous les voyez. »

Ils ont aussi de l'herbe.

« Elle est moelleuse sous les pieds, dit-elle. Elle est très, très belle. D'un vert profond… je suis allée dans des endroits où les fleurs sont si hautes que… oh, je crois qu'elles font au moins deux à trois mètres de haut. On a l'impression de marcher dans une forêt de fleurs. Le blé pousse dans les champs, mais j'ai jamais vu personne le couper. Il semble toujours être là… les arbres sont beaux et les fleurs de certains arbres sont merveilleuses. Et le parfum ! Les odeurs sont exquises ! »

George Hopkins, le fermier du Sussex, est tout aussi extatique.

« Nous avons la campagne, des rivières et des lacs… Nous avons des fleurs, des oiseaux et toutes sortes de choses que vous associez à la nature. Par contre, j'ai jamais vu de fourmis, d'insectes ou autres choses de ce genre… Certains des aspects de la nature que vous connaissez ne semblent pas exister ici. »

Cette heureuse omission est reprise par Oscar Wilde qui nous dit :

« Nous ignorons les aspects les plus irritants de la nature. Nous n'avons pas, par exemple, tous ces insectes, comme les mouches, les perce-oreilles et toutes ces choses agaçantes que la nature invente pour embêter l'homme. Heureusement, ces choses semblent avoir disparu. »

Ils font tous la même remarque que celle de Ted Butler :

« Un sentiment merveilleux de légèreté et de chaleur. Je croyais que c'était le soleil qui brillait derrière les vitres. »

Ou comme le dit Mary Ivan :

« Le soleil, du moins ce que je croyais être le soleil à ce moment-là, brillait derrière les vitres. Mais ce n'était pas le soleil. »

Terry Smith nous l'explique :

« Ce qui semblait être le soleil, brillait. Elle m'a dit, un peu plus tard, qu'il n'y avait pas de soleil, que c'était une lumière dont toute vie était capable de tirer sa puissance… drôle de chose que cette lumière… ça peut sembler bizarre… mais elle ne faisait pas d'ombres.

« On m'a dit depuis, ajouta-t-il, que ça n'avait rien à voir avec le soleil. C'est une luminosité naturelle. Mais quelle en est la source ? Je n'ai jamais pu le découvrir. »

Un jour, peut-être, un savant saura-t-il l'expliquer ?

S'il n'y a pas de soleil, fait-il sombre ? Va-t-on se coucher ?

Les voix ne sont pas d'accord.

« Connaissez-vous le jour et la nuit, dans votre monde ? demanda Betty Greene.

« Oui, dit George Harris. Tout comme vous. Nuit et jour. Nous connaissons ça, bien sûr. Je dors, je me réveille et je me lève, comme vous le faites sur terre. »

Mr Biggs le faisait aussi, peu de temps après son arrivée.

« Tu ferais bien de te reposer, lui dit sa mère. Tu veux aller au lit ?

— Au lit ? Vous y allez, vous aussi ?

— Ce n'est pas nécessaire, mais dans ton cas, ce serait une bonne chose.

— Bref, je suis allé au lit. »

Mais Mr Biggs venait à peine d'arriver dans l'au-delà. Et George Harris en était encore au stade où il voulait continuer à empiler ses briques célestes.

Rose, qui était au paradis depuis plus longtemps, répondit différemment :

« Oh, oui, vous pouvez dormir si vous en avez envie.

— Mais ce n'est pas nécessaire ?

— Non… Si je me sens mentalement fatiguée, je me détends, je ferme les yeux, je me repose et je rouvre les yeux au bout d'un moment. Et je ne suis plus du tout fatiguée. »

Ellen Terry, une habitante beaucoup plus avancée, là-haut depuis plus longtemps, expliqua :

« L'obscurité n'existe pas. Il existe bien ce que vous pourriez appeler "crépuscule". C'est, cependant, quelque chose de totalement différent du crépuscule terrestre ! Il y a un temps de calme et de repos pour nous. Pourtant, nous n'éprouvons jamais le besoin de nous reposer ou de dormir, mais une sensation de paix nous envahit quand ce besoin se fait sentir. »

Il ne semble pas pleuvoir, non plus.

« Je n'ai, par exemple, jamais vu ce que je pourrais appeler la pluie, dit Rose. Et nous n'avons pas, semble-t-il, de saisons. Pas au sens où vous l'entendez. »

Mais, une fois de plus, cela semble dépendre du niveau de développement, car, George Harris, encore pris par les vibrations de la terre, répondit :

« Des saisons différentes, de la pluie, du soleil, tout ça est bien naturel…

— Vous avez de la pluie, avez-vous dit ? demanda Betty Greene, surprise.

— Oui, répondit-il. La pluie et le reste. C'est absolument pareil. C'est comme si vous aviez une réplique, une reproduction… n'est-ce pas… de la terre ? Oh, une très belle reproduction. »

Mais pour la plupart d'entre eux, les saisons n'existent pas et la notion de temps est encore plus difficile à saisir.

« Il n'existe aucune possibilité de mesurer le temps, dit Rose. Nous n'avons pas conscience du temps. Je sais que vous ne pouvez pas comprendre. Vous voulez, bien sûr, parler de… eh bien… du matin, de l'après-midi, et du soir. Ces choses ne comptent pas pour nous. Le temps, après tout, c'est quelque chose inventé par l'homme, non ? »

La meilleure explication de cette différence fondamentale entre les deux mondes nous fut donnée par George Ohlson.

« Mr Ohlson, dit Betty Greene, vous avez dit que vous ne faisiez rien. Comment passez-vous le temps ?

— Oh, mon Dieu, le temps ! s'exclama-t-il. Voyez-vous, c'est une chose qui n'existe pas pour nous. Voilà encore un élément qui doit vous intriguer. Vous vous demandez : "Que font-ils de leur temps ?" Le temps, le temps, le temps ! Nous n'en avons pas conscience. Le temps ne veut rien dire pour nous. De votre point de vue, nous pouvons faire mille choses intéressantes, mais nous n'avons pas conscience du temps, de l'heure, du jour, de la semaine, du mois ou de l'année. Notre seule conscience du temps nous parvient par votre inter-médiaire. En revenant vers vous, nous en reprenons conscience d'une certaine façon. Vous vous dites : je suis sûr qu'untel reviendra parler, aujourd'hui, parce que c'est son anniversaire. En fait, nous pourrions ne pas y attacher la moindre importance ! Nous ne nous en souviendrions certainement pas si nous n'avions pas capté les pensées d'un être cher, resté sur terre.

« Même chose pour la naissance. Il est évident que la conscience d'un individu existait déjà, avant sa nais-sance. En se développant peu à peu, en grandissant, il prend conscience de ce qui se passe autour de lui – les formes, les couleurs et les sons. Et ceux-ci se mettent peu à peu à signifier quelque chose pour l'enfant qu'il est. Mais on ne peut dire que la vie n'existait pas avant la naissance.

« Je ne crois pas, par exemple, que je sois simplement né comme je serais simplement mort. J'étais là, évidem-ment, avant ma naissance. J'ai fait évoluer ma personna-lité et les gens m'ont appelé George Ohlson. Mais le fait est que tout cela n'est qu'infinitésimal dans le temps lui-même. Il est évident qu'aucun d'entre nous n'est ce qu'il croit être. Tout ça est bien complexe, mais si fascinant. »

Pas d'horaires, pas d'heures de repas. Y a-t-il même des repas ? Mange-t-on, dans l'autre monde ? Au premier abord, les témoignages semblent contradictoires.

Personne ne s'attend à boire et à manger. Quand on les accueille avec une tasse de thé, ils n'en croient pas leurs yeux.

Souvenez-vous d'Alf Pritchett. Que vit-il en arrivant dans son centre d'accueil ?

« Certains parlaient. D'autres mangeaient et ça m'a frappé. Il m'a dit que c'était un coin de paradis. Ils ne devraient pas manger. Alors je lui ai dit : "Eh, regarde, ils mangent, là-bas." »

Vous vous souvenez de Mr Biggs en visite chez sa tante May ?

« Voudrais-tu boire une tasse de thé ? » lui demanda-t-elle.

Et de George Wilmot, accueilli dans sa nouvelle maison, par la famille de sa petite amie française ?

« Ils ont posé un grand bol de soupe devant moi et, honnêtement, je me croyais sur terre, à nouveau. Ils ont mangé leur soupe. Je me suis joint à eux. Et j'ai même fumé. Le père avait sa pipe. »

Leurs hôtes célestes leur expliquèrent rapidement que ces occasions étaient tout à fait exceptionnelles.

« Ce que tu n'arrives pas à comprendre, dit le guide de Pritchett, c'est que tu as le sentiment, en arrivant ici, qu'il est essentiel de faire certaines choses. Si tu penses que manger et boire sont des choses essentielles, alors tu peux boire et manger, à ton gré. »

« Quand tu arrives ici pour la première fois, expliqua tante May à son neveu, tout te semble familier pour que tu sois gai, à l'aise. Si tu désires quelque chose, tu peux l'avoir. Mais tu comprendras très vite que toutes ces choses ne sont pas nécessaires. »

« Si, lorsque vous arrivez ici pour la première fois, expliqua le guide de Ted Butler, vous jugez nécessaire

174

d'avoir telle ou telle chose, on y pourvoit pour vous. Mais ce n'est que provisoire, jusqu'à ce que vous compreniez que vous n'en avez absolument pas besoin. Je ne bois pas de thé normalement. Mais, étant donné que vous êtes mon invité et que vous ne pouvez pas vous habituer tout de suite au nouvel ordre des choses, j'ai pensé que ça vous aiderait. »

George Wilmot reçut à peu près la même explication de la part de son guide.

Pour certains, le désir semble mettre beaucoup de temps à disparaître.

« J'étais le genre de personne qui ne pouvait pas se passer de sa tasse de thé, nous dit Rose, et j'aime en boire et j'en bois toujours.

— Comment vous le procurez-vous ? demanda Woods.

— C'est très drôle, répondit-elle, mais je suis pas consc… je ne vais pas à la cuisine, je ne mets pas de bouilloire sur le feu. Je ne prépare pas le thé, dans ce sens-là. Si je ressens le besoin de boire une tasse de thé, tout ce que je peux dire, c'est que la tasse est là, devant moi. »

Elle fut plus explicite en ce qui concerne la nourriture.

« Nous avons des arbres fruitiers et toutes ces choses que vous associez dans votre monde au domaine de la nourriture. Mais nous ne tuons pas d'animaux et ne mangeons pas de viande. »

Et, un peu plus tard :

« La faim n'est qu'une chose matérielle. Un désir de cet ordre vous pousse à tuer les autres, mais ça n'existe pas dans notre monde, car nous avons perdu tout désir de manger… Il y a, bien sûr, des gens qui, lorsqu'ils arrivent ici, en ressentent le besoin. Ils peuvent manger s'ils le désirent. Mais ce besoin diminue très vite et disparaît. Ils n'y pensent plus, au bout d'un temps. »

Un certain Mr Martin, émigré en Australie dans les années vingt et tué à Sydney, décrivit la même expérience.

« Il y avait tout ce qu'on pouvait rêver de boire et de manger, dit-il. Je n'arrivais pas à comprendre ça. Je crois que je faisais les choses automatiquement. Mais, peu à peu, il m'est venu à l'esprit que manger et boire n'étaient que des habitudes que j'avais fini par croire indispensables. Au bout d'un temps, j'ai compris que ces choses n'étaient pas aussi importantes et j'ai peu à peu perdu l'envie de boire et de manger. »

Il y a des moments où les tasses de thé qui s'entrechoquent font autant de bruit, au paradis, que dans les garden-parties sur terre. Quelles sont les perspectives pour ceux qui préfèrent un bock de bière ou une bouteille de vin ?

Les voix restent vagues. Une indication donnée par John Brown, serviteur attitré et fidèle de la reine Victoria, grand buveur lui-même, n'est pas très encourageante de ce point de vue-là.

« Il m'a fallu apprendre à vivre sans boisson. Sans whisky. Ce n'est bien sûr pas possible de s'en procurer ici. »

Mais le père de Woods, buveur invétéré de whisky et de vin sur terre, dit à son fils qu'il pouvait boire des deux au paradis.

Il y a des compensations. Si les plaisirs de la nourriture et de la boisson disparaissent au paradis, il en est de même pour les peines excessives.

« Pas de douleurs, pas de souffrances, dit George Harns. Pas de maladies. Je n'ai pas vu d'hôpitaux rien de tel, ici ; quoiqu'on m'ait dit qu'il en existait pour les malades mentaux. (Et plus tard) J'ai pas besoin d'aller aux toilettes, non plus. C'est pas drôle, ça ? Si j'avale un bon gros repas, je pense qu'il va falloir que j'aille ensuite aux toilettes. Eh bien, pas du tout ! C'est différent… Ce n'est pas le même corps physique. Il n'a pas la même constitution. »

La soif et l'appétit disparaissent très vite. Mais, du moins dans les sphères d'où viennent les voix, personne ne semble avoir perdu tout intérêt pour les vêtements.

Alf Pritchett, vous vous souvenez, arriva au paradis, marcha le long d'une avenue bordée d'arbres magnifiques et remarqua :

« Les gens déambulaient, bizarrement vêtus. »

Quand il arriva à son centre d'accueil :

« Ce qui m'a frappé, c'est qu'ils étaient tous habillés comme les gens que j'avais connus, qu'ils portaient des costumes et ce genre de choses comme j'en avais moi-même portés, sur terre. »

Mary Ivan se réveilla à l'hôpital et sa sœur lui dit qu'elle pouvait se lever.

« Et mes vêtements ? demanda-t-elle.

— J'étais là, debout près de mon lit, dans une magnifique robe de chambre.

— Tout va bien, lui dit sa sœur, je t'ai aidée à t'habiller. Mais tu ne le savais pas. Je t'ai aidée par la pensée. »

Vous vous souvenez de ce que Rose a dit quand on lui a demandé.

« Et les vêtements, Rose ? En portez-vous ?

— Bien sûr.

— Des vêtements pareils à ceux que nous portons, ici ?

— Non. Je ne pense pas que vous aurez un costume comme celui que vous portez en ce moment, quand vous serez ici.

— Pouvez-vous nous décrire les vêtements que vous portez ?

— Les gens portent les vêtements dans lesquels ils se sentent le plus à l'aise, expliqua Rose. Bien sûr, les premiers temps de son arrivée, une femme pense que sa robe, c'est quelque chose d'essentiel. Et elle la porte pendant un moment. Mais elle finit par comprendre que c'est sans importance. Sa vision des choses change peu à peu et elle change donc de façon de s'habiller.

— Que portez-vous, en ce moment, Rose ? »

Sa réponse constitua l'une des descriptions les plus détaillées d'une création céleste.

« Je sais pas si ça veut dire quelque chose pour vous, mais je porte une très belle robe blanche, une longue robe avec une bordure dans le bas. Manches longues et amples et une espèce de ceinture d'or qui ressemble à de la corde tressée, autour de la taille.

— Quel est le tissu ?

— Je crois que le tissu le plus ressemblant serait la soie. »

C'était tout à fait clair. Mais d'où tenait-elle ce tissu ?

L'ami de Woods, George Ohlson, essaya de nous l'expliquer mais c'était nettement moins précis.

« Il y a des gens qui créent des vêtements. Si vous pensez que vous voulez un vêtement en particulier, que vous aimez un coloris précis, le tissu peut être créé. Il existe, bien entendu, des centaines d'endroits où vous pouvez vous en procurer.

« Je ne veux pas dire qu'il existe des magasins, au sens où vous l'entendez. Mais il y a des endroits, tenus par des gens qui s'intéressent aux tissus et qui peuvent donc vous en fournir. Vous pouvez ensuite… ou si vous n'en êtes pas capable, vous pouvez le donner à des gens qui vous confectionneront une robe ou un costume, selon votre désir. »

Pensez à un vêtement et vous l'aurez immédiatement sur vous, est une idée qui persiste chez les spiritualistes. Dans un sens, c'est vrai. Mais ce n'est vrai que lorsqu'on redescend sur terre et qu'on tente de recréer ce que l'on était. On doit se souvenir de vous, d'après votre tenue. On a la capacité de se recréer soi-même, dans un vêtement précis, par une force ou une forme mentale. Mais temporairement, seulement. Ce n'est que pendant une ou deux secondes de temps terrien que nous pouvons avoir cette pensée et faire en sorte qu'elle soit captée par un médium ou quelqu'un de très sensibilisé.

Rupert Brooke nous apporta quelques éclaircissements sur un problème en apparence extrêmement compliqué.

« Quel genre de vêtements portez-vous ?

— Les vêtements que je préfère, répondit-il, sont ceux que portaient les Grecs, dans l'Antiquité. Ce sont des vêtements très confortables, très jolis à regarder, et les tissus sont vraiment beaux.

— Très colorés ? demanda Woods.

— Oui, bien sûr. Ce n'est pas un problème. On aime sentir… je veux dire que vous portez ce que vous avez envie de porter. Cela est vrai fondamentalement ; mais le fait est qu'il existe certaines couleurs que vous ne pouvez pas porter ici à moins que votre nature, votre essence, vous en aient rendu le port possible. Vous êtes souvent connus du point de vue de la personnalité et du caractère – par la couleur de vos vêtements.

« Le fait est qu'on vous connaît par l'aura et la lumière qui rayonnent de vous. Par exemple, si certaines couleurs sont dans votre aura, il y en aura certainement d'autres que vous ne pourrez pas choisir. Certaines choses seront tout simplement impossibles. Si, par exemple, vous n'avez pas beaucoup progressé, vous ne pourrez pas porter de bleu pâle parce que ce n'est pas dans votre nature. Cette couleur ne pourra faire partie de votre émanation aurique. En conséquence, vous ne la porterez pas. Vous ne serez d'ailleurs pas attiré par elle dans la mesure où vous ne serez pas prêt de la recevoir. De toute façon, ce ne serait pas possible. Je ne peux pas expliquer pourquoi. Vous êtes automatiquement ce que vous êtes, et vous ne pouvez pas aller au-delà ou en deçà de ce que vous êtes. Voyez-vous, nous progressons tous. Nous tendons tous à une forme qui concorde. Nous sommes en conséquence automatiquement ce que nous sommes en fonction de nos tentatives, de nos efforts. Ce serait tout à fait antinaturel d'assumer une façade dans notre monde – une façade qui, vous le savez, ne tromperait personne.

« En d'autres termes, un homme peut se constituer une façade, peut se forger un masque – et la personne, sous ce masque, peut être horrible. Vous pouvez faire ce genre de choses, sur terre. Pas dans notre monde. Il n'existe pas de possibilité de tricher. Vous êtes connu ici pour ce que vous êtes. »

Qui êtes-vous ?

Des images un peu floues peuvent, non sans mal, indiquer ce à quoi vous ressemblez, ce à quoi ressemblent votre maison, votre jardin, votre environnement, vos vêtements.

Mais il est bien plus difficile de dire qui vous êtes et ce que vous faites exactement

16

Travail

S'il est difficile de décrire le paradis, et ses habitants, le problème s'aggrave encore quand il s'agit de dire ce qu'ils peuvent bien y faire. Ici, sur terre, la plupart d'entre nous travaillent pour gagner l'argent nécessaire à leur nourriture, leur logement et leurs vêtements. Nous nous occupons de notre gagne-pain, de notre famille. Nous nous levons, nous nous habillons, nous nous déshabillons et nous allons au lit. Sommeil, nourriture, voyages, courses et télévision. Et parfois nous nous ennuyons.

Dans l'autre monde, la nourriture et le sommeil ne sont pas indispensables. Les maisons sont gratuites. L'habillement et les voyages se font instantanément. Personne ne doit travailler pour vivre.

Que font-ils donc, bon Dieu ?

Les voix sont tout à fait explicites sur ce qu'elles ne font pas.

« Je n'ai pas vu d'usines. Je n'ai pas vu, non plus, de tramways ou d'automobiles », dit Lionel Barrymore.

« Vous n'avez pas, par exemple, d'énormes usines, dit George Ohlson. Vous n'avez pas non plus de chemins de fer ou de gares. »

« Je ne prends pas l'avion parce que ça n'existe pas », nous dit Amy Johnson.

« Je n'ai pas vu ces foutues bagnoles, dit George Harris. Bon Dieu, qui en voudrait ? Nous pouvons circuler ici sur nos deux jambes. »

« Je peux m'asseoir, dit Rose, et penser en mon for intérieur que j'ai envie de rejoindre la séance de Flint. Je n'ai donc qu'à… euh… penser. Je ferme les yeux et hop, comme vous diriez, j'y suis.

— De l'argent ! s'exclama-t-elle. Vous pouvez rien acheter ici avec de l'argent !

— Mais, je me demandais, dit Woods… comment ils… vous savez… vous dites que vous avez des architectes pour faire votre travail ?

— Eh bien, nous ne les payons pas, dit Rose. Ils le font parce qu'ils aiment ça. Ils aiment dessiner des maisons. C'est pareil pour les musiciens qui adorent jouer du violon. Ils sont heureux de distraire leurs amis.

— Ils font tout, par amour ?

— Exactement. Tous ceux qui, par exemple, n'ont jamais eu de chance dans votre monde, et qui voulaient peut-être devenir musiciens ou artistes, peuvent étudier ici. »

Même à son stade, George Harris avait déjà compris :

« Nous n'avons pas besoin d'aller travailler. Non. Je ne fais aucune économie. L'argent n'a aucune signification ici. »

Pas de loyer. Pas de notes de restaurants. Pas d'impôts. Jusque-là tout va bien. Les difficultés commencent quand vous leur demandez quels sont les talents qu'ils développent pour combler le vide de leurs longues journées. Les aspirations de l'homme de la rue (céleste) semblent assez limitées.

Le guide de Ted Butler expliqua l'absence de sa mère en disant qu'elle était sortie.

« Elle travaille ? demanda Butler.

— Oui, répondit-elle. Je crois que vous appelez ça comme ça. Ma mère travaillait énormément quand elle était sur terre. Elle faisait des lessives entre autres. Maintenant, elle s'occupe d'enfants. Elle les a toujours beaucoup aimés. Elle garde les enfants morts en bas âge et les élève. Elle adore ça. »

La mère de Mr Biggs prépara son fils en lui racontant qu'elle vivait avec sa sœur, Florrie.

« Florrie et moi, nous étions comme les deux doigts de la main. C'est la même chose aujourd'hui, dans tous les sens du terme… Nous allons bien toutes les deux et nous travaillons à l'hôpital.

— À l'hôpital ? Vous n'en avez pas besoin si vous êtes morts !

— Eh bien, c'est pas le même genre d'hôpital, mais ils sont utiles à certaines catégories de personnes qui ont des problèmes mentaux, qui ont besoin d'aide et de soins. C'est un travail intéressant ; je suis heureuse de le faire. »

Mary Ivan fut accueillie par sa sœur. Son mari n'arriva qu'un peu plus tard.

« Il était absent, expliqua-t-elle ; il faisait un travail spécial. C'est ce que j'ai découvert par la suite. Ça avait un rapport avec une guerre qui avait lieu quelque part en Afrique… Il aidait les morts et les blessés. »

Alfred Higgins avait un travail beaucoup plus pratique. Très semblable à celui sur terre.

« J'éprouve énormément de plaisir, dit-il, à m'occuper des autres, à les aider à s'installer, quand ils arrivent ici pour la première fois. Je fais de petits travaux… de la décoration. »

George Harris, entrepreneur en bâtiments, exerçait également son ancienne activité.

« J'étais dans la construction et j'aime toujours faire ce travail. Mais c'est plutôt différent ici. Vous construisez avec des matériaux réels et solides, mais vous ne le faites pas pour de l'argent. Vous ne le faites pas non plus parce que vous devez le faire. Vous le faites parce que vous aimez le faire, parce que vous en retirez du plaisir. On m'a, bien sûr, dit que c'est… je crois que vous appelleriez ça le premier stade… c'est pourquoi nous devons construire. Mais ils disent, voyez-vous, que dans les sphères supérieures, comme ils les nomment, tout est construit par la pensée.

« Là où je vis, tout est bien réel. Vous avez des matériaux et vous travaillez avec des matériaux. J'ai vu des répliques de… de tant de choses semblables aux vôtres. Les gens ne restent pas assis à penser aux choses pour les voir immédiatement devant eux. Ce ne serait pas très amusant. Je crois que c'est une mauvaise façon de continuer à vivre. Faire un effort pour obtenir ce que l'on veut est vraiment le seul vrai plaisir, à mon sens.

— George, demanda Betty Greene, comment vous procurez-vous vos briques ?

— Oh, elles sont fabriquées dans des endroits faits pour ça, où vous pouvez aller en prendre livraison.

— Construisez-vous des maisons pour des gens précis ou pour tout le monde ? demanda Woods. Décidez-vous de ceux qui doivent avoir une maison ?

— Ça dépend des individus. Il n'existe pas d'entreprises de construction en tant que telles. Mais tous ceux qui arrivent ici – je parle de l'endroit où je vis – exercent le même travail que sur terre. Vous avez des charpentiers, des ébénistes, des décorateurs, etc. Je crois que – quel que soit le métier que vous avez exercé sur terre – vous pouvez continuer à l'exercer ici. Ils veillent à ce que vous fassiez ce que vous avez envie de faire. Jusqu'à ce que vous changiez d'avis et que vous ayez envie de faire autre chose.

« Je suis très heureux de construire, d'aider les autres, qui étaient dans la construction eux aussi. Nous travaillons ensemble. Nos maisons sont aussi solides et réelles que les vôtres et certaines sont vraiment très belles. Nous aimons, bien sûr, les gens pour lesquels nous construisons.

« Il y a des gens qui créent ici. Il y a ceux que vous appelez des architectes. Ils font les plans et élaborent le projet. Nous, nous exécutons. »

La confirmation de l'importance du travail créatif nous parvint, de manière inattendue, de la part d'Élisabeth Fry.

« Il ne faut pas croire que nous ne pensons qu'à une seule chose, dit-elle. Toutes sortes de travaux et de formes voient le jour en notre monde. De grands artistes peignent de splendides tableaux, car c'est là toute leur joie. Mais ils le font avec une plus grande variété de nuances et de couleurs. De grands musiciens composent de très belles œuvres musicales… »

Elisabeth Fry continuait, d'après ce qu'elle nous a dit, d'avoir des activités sociales.

« Je fais, dit-elle, ce que vous appelleriez certainement du sauvetage d'âmes qui, en des circonstances indépendantes de leur volonté – quand elles étaient sur terre – ont été incapables de s'adapter et de trouver une manière de vivre susceptible de les aider à évoluer et à prendre de l'envergure. »

Les artistes qui ont parlé à Woods et à Betty Greene ou qui ont été décrits par les voix, semblent créer des œuvres d'une grande beauté céleste.

Oscar Wilde écrit toujours.

« Certains éprouvent la nécessité de travailler. D'autres, non. Je préfère continuer d'écrire, expliqua-t-il, parce que l'écriture a toujours été ma raison de vivre. »

Lionel Barrymore, vous vous souvenez, est toujours intéressé par le théâtre. Bien plus encore que par Hollywood.

« Je suis toujours très intéressé par le théâtre… Toutes les grandes pièces de Shakespeare sont jouées ainsi que – et là est le détail intéressant – de nouvelles pièces. Bien plus belles que toutes celles que vous voyez sur terre. Shakespeare continue d'écrire, de monter ses pièces et de les jouer, Spencer, également. »

« J'ai rencontré Shakespeare, dit une voix affirmant être celle de Lilian Baylis, de l'Old Vic.

— Continue-t-il à monter des pièces ?

— Oh, oui ! »

Frédéric Chopin nous assura qu'il jouait toujours du piano :

« Quand je suis arrivé ici, la première fois, j'ai eu l'impression de me retrouver chez moi, en jouant du piano. Je crois que, sans piano, je me serais senti perdu. Mais quand j'ai pu en jouer, j'ai été heureux. »

Ruper Brooke écrit toujours.

« J'ai demandé s'il me serait toujours possible d'écrire et on m'a dit : Bien sûr, si vous le désirez. Vous pouvez également, si vous le voulez, faire mille autres choses. Rien ne vous empêche de devenir peintre ou musicien. C'est le seul moyen que vous ayez de progresser en ce monde. Aller de l'avant. »

Est-il possible de dresser une liste des carrières célestes ? Les possibilités semblent restreintes, bien plus restreintes que sur terre. Mais les carrières qui existent semblent ouvertes à tous.

Soldats, marins et aviateurs semblent être à la retraite permanente. Pas de commerce, c'est-à-dire pas de marchands, pas de comptables, pas de boutiquiers ou de vendeurs.

Pas d'industrie non plus. Pas de patrons, de syndicats, d'ouvriers, de mineurs ou de dockers...

Pas de conducteurs, de pilotes. Et probablement peu de mécaniciens.

Si vous voulez travailler de vos mains, les métiers les plus prometteurs semblent être le bâtiment, la décoration, la peinture et, peut-être, le jardinage.

Il y a des débouchés pour les architectes, les psychiatres, les infirmières, les dessinateurs, les libraires et les professeurs. Et, pour les travailleurs sociaux, le champ est sans limites.

N'importe qui peut embrasser une carrière artistique. Les écrivains en puissance comme les écrivains frustrés, les musiciens et les peintres peuvent satisfaire les instincts créatifs qu'ils ont dû réprimer sur terre.

Si toute forme de travail vous semble un fardeau particulièrement ennuyeux, vous pouvez passer le reste de votre existence – aussi longtemps que vous pourrez le supporter – à ne rien faire, à être un homme ou une dame de loisir, d'oisiveté.

Il ne semble pas y avoir lieu de s'ennuyer. Personne ne nous a dit avec précision si la télévision avait touché l'autre monde. Mais presque toutes les distractions terrestres semblent y être accessibles et dispensées gratuitement. Livres, pièces et concerts, films. Et, apparemment, les sports tels que la natation et l'équitation.

Sans argent, sans preneurs de paris, l'enthousiasme doit certainement tomber.

Ce fut Rose qui nous dit :

« Vous pouvez aller nager, si ça vous chante, mais vous ne vous salissez pas. (Et qui nous a révélé) : Je sais que ça va vous surprendre, mais je suis même allée au cinéma. »

Parlait-elle bien de cinéma ? Alfred Higgins le confirme d'après les détails qu'il nous donne.

« Nous avons des centres éducatifs, dit-il, de grandes bibliothèques où l'on peut lire de merveilleux livres, et des endroits où l'on peut voir… je crois que vous appelleriez ça des films. Ce ne sont pas vraiment des films au sens où vous l'entendez, mais des films dans lesquels on nous parle de choses propres à l'homme, à son développement, à sa vie et à son évolution. »

Bonnes nouvelles pour les turfistes.

À la question : existe-t-il des événements très proches de ceux qui se produisent sur terre ? Du genre, courses de chevaux ?

Elisabeth Fry répondit :

« Il existe des sphères où ces choses existent, parce que l'esprit humain juge ces choses indispensables à son bonheur et à son bien-être. En d'autres termes, l'homme crée par la pensée, comme il le fait dans votre monde. Ces pensées prédominent dans les sphères proches de la terre. »

Les pièces de théâtre sont toujours considérées comme une distraction indispensable dans toutes les sphères que les voix habitent.

« Nous avons des distractions, dit Lionel Barrymore, quoique ça ne soit pas exactement ça. Toute pièce montée ici a un motif. Ce n'est pas uniquement fait pour amuser et distraire. Nous jouons, par exemple, des pièces – que vous appelleriez moralisantes – dans les sphères inférieures, et nous reproduisons la vie de certains individus que nous apercevons parmi les spectateurs. »

Les concerts semblent aussi fréquents que les pièces de théâtre.

Mary Ann Ross raconte comment elle fut emmenée à son premier concert par le petit ami qu'elle avait repoussé, du temps où elle vivait sur terre.

« Il m'a emmenée, dit-elle, dans un endroit qui se trouvait dans une… je crois que vous appelleriez ça une ville parce qu'il y avait toutes sortes de maisons et de bâtiments. Il y avait une grande place avec de nombreux escaliers. Quand j'ai vu toutes ces marches, je me suis dit : je vais être épuisée, en arrivant là-haut. Eh bien, après les avoir montées, je ne me sentais absolument pas fatiguée. Nous sommes entrés dans cet endroit immense qui devait contenir des milliers de personnes. Sur la scène, un merveilleux piano – la plus belle chose que j'ai jamais vue de ma vie – énorme. Je me suis dit qu'il avait au moins trois claviers. Il était en nacre et avait les couleurs et les nuances les plus incroyables.

« Puis une merveilleuse créature est entrée en scène. C'était un homme, grand et beau, aux cheveux longs et aux traits extrêmement fins. Il s'est assis et s'est mis à jouer. Je n'avais jamais rien entendu de pareil. On aurait dit qu'il jouait sur les trois claviers à la fois, et il n'avait pourtant que deux mains. C'était incroyable. Le son était extraordinaire. Vous étiez comme emporté par lui, enveloppé. Vous perdiez toute notion de lieu, de temps, de tout. Comme si vous étiez dans la musique, comme si vous faisiez partie d'elle. La musique vous parlait et vous aidait à comprendre. »

Même John Brown, une fois son amour du whisky dépassé, semble avoir développé un grand amour pour la musique.

« Vous pouvez vous asseoir avec des milliers de gens, dit-il, dans un vaste auditorium en plein air, et vous pouvez écouter la plus belle musique composée par les plus grands compositeurs. Non seulement vous l'entendez, mais vous la voyez ! La mise en images, on pourrait dire, de cette musique est perçue dans l'atmosphère. Vous pouvez voir et entendre la musique.

« Si un grand musicien, par exemple, compose un morceau qui évoque l'évolution de l'homme, vous verrez se concrétiser ce qu'il a dans l'esprit et ce qui est évoqué dans la musique. Tout cela est, bien sûr, extrêmement difficile à expliquer. »

Un élément fondamental se dégage de tous ces témoignages sur la nouvelle vie : les gens de l'autre monde sont bien, fondamentalement, ces mêmes gens, morts en ce monde-ci.

« Vous ne pouvez naturellement pas vous rendre dans un autre pays, disait Oscar Wilde, sans le trouver totalement différent. Mais ce qui m'a paru le plus intéressant et le plus extraordinaire c'est que les gens étaient les mêmes. »

Même les préjugés raciaux, la conscience de couleur, survivent pendant un temps et sont autorisés par l'ordre naturel du paradis.

George Wilmot, le chiffonnier, nous raconta sa promenade avec son guide.

« Nous passions devant des maisons. Les gens étaient sur le pas de leurs portes et agitaient la main. Parfois, ils nous appelaient. C'était tous des Blancs. J'ai pas vu de gens de couleur. Et je me suis dit : Si c'est bien ce qu'il dit – le paradis et tout ça – ce doit être un paradis pour Blancs. Je me suis mis à penser aux gens de couleur et je me suis dit : Bizarre, mais on ne voit pas d'autres gens, en dehors des Blancs. Bien sûr, je ne lui ai pas posé – la question, mais il a dû lire dans mes pensées.

— Ah, m'a-t-il dit, il y a aussi des gens de couleur. Toutes les races, toutes les nations. Mais il est naturel que les gens éprouvent le besoin de vivre en communauté, selon un mode de vie qui leur convienne. Une personne de couleur, d'après son expérience de la vie, ne serait peut-être pas heureuse dans une atmosphère faite pour des Blancs. Tu trouves ici des gens de toutes les races, de toutes les origines. Et ils vivent dans la communauté qui leur est le plus agréable – où ils sont le plus heureux. Mais ils changent peu à peu de façon de penser, de conceptions, qu'il s'agisse de Blancs ou d'hommes de couleur, et ils trouvent des communautés où ils s'intègrent… où ils vivent ensemble. »

John Brown alla même jusqu'à dire :

« Vous pourriez dire que la mort est un grand "niveleur" d'âmes. La position sociale que vous aviez n'a aucune importance. C'est ce que vous étiez, votre appréciation des choses, votre sens des valeurs qui comptent.

« Depuis que je suis ici, j'ai rencontré de nombreuses personnalités qui, du fait de leur position sociale étaient dures et n'avaient aucune sympathie ou ne faisaient montre d'aucune compréhension pour les pauvres. Elles ne savaient rien bien sûr, de la souffrance. Ici, elles ont dû apprendre les choses vraiment vitales et importantes, choses qu'elles n'avaient jamais été jusque-là capables de comprendre.

« Il est souvent plus facile, pour un pauvre que pour un riche, de comprendre la vérité. »

Il est plus facile, aurait-il pu dire, pour un chameau de passer par le chas d'une aiguille que pour un homme riche d'entrer au royaume des cieux.

« Des tas de gens semblent penser, sur la terre dit Alfred Higgins, que dès que nous cessons d'être humains, nous cessons d'être les mêmes. Pas du tout ! Nous restons bien les mêmes, mais nous devenons un peu plus sages, un peu plus intelligents, compréhensifs, tolérants. Je dirais même davantage. Nous n'avons tout simplement plus ces mêmes idées stupides, apprises bon gré mal gré, sur la terre. Cette étroitesse d'esprit et ces œillères qui n'aident pas les enfants de Dieu, qui les séparent plutôt. Tous les enfants de Dieu ont la même possibilité de survie au sens le plus large du terme, spirituellement et mentalement. »

« Ne craignez pas le passage de ce monde dans l'autre, ajouta Ellen Terry. Quelle que soit la condition de vie que vous puissiez y trouver, si modeste soit-elle, elle ne sera jamais qu'un reflet de votre monde. Selon votre passage, selon surtout votre développement ou absence de développement, vous trouverez une condition adaptée à votre cas. Même si à certains cela semble sombre et triste, il leur reste encore la liberté de s'exprimer, de se développer et d'évoluer.

« Nous savons bien sûr qu'il existe des sphères inférieures où vivent les âmes non développées. Mais, ce n'est pas l'enfer tel qu'il est décrit par certains. Il n'y a pas d'enfer. Seul existe l'enfer que l'homme crée par sa pensée, par sa manière de vivre. Ici, ce que l'homme a créé change avec lui, avec son envie et son désir de sortir des ténèbres.

« L'homme s'installe parfois lui-même dans les ténèbres dès qu'il se met à désirer l'étincelle de la vie éternelle, dès qu'il aspire à s'élever, à échapper à la sphère inférieure, il y est immédiatement aidé. Il est guidé. Il reçoit des conseils. On lui montre le chemin. On le montrera à tous ceux qui viendront. »

Le chemin qui mène où ?

17

On montrera le chemin à tous ceux qui viendront. Mais où mène ce chemin ? Jusqu'à présent, la vie décrite par les voix a semblé plutôt stable, différente de la vie sur terre mais marquée par sa propre uniformité interne, ses libertés reconnues, ses limites, ses lois naturelles.

De temps à autre, les voix nous livrent un indice en parlant d'autres mondes, d'autres sphères où les conditions peuvent être différentes.

En 1953, quand Rose décrivit sa vie, lors de la première séance à laquelle assistait Betty Greene, elle était tout à fait satisfaite du nouveau monde où elle vivait – comme un travailleur, venu du Nord triste et grisâtre, est heureux au premier jour d'un voyage organisé de s'affaler dans un transatlantique, de se gorger de soleil méditerranéen.

En 1963, elle était toujours heureuse, mais montrait des signes de lassitude. Le soulagement qu'elle avait ressenti de ne plus vendre de fleurs à Charing Cross commençait à s'estomper. Cependant rester simplement assise et bavarder au soleil n'était plus le seul but de sa vie et elle ne semblait pas devoir s'en satisfaire éternellement.

Avant la fin des vacances, elle devait faire un effort pour renoncer à passer la matinée sur la plage ou déjeuner à l'hôtel et prendre plutôt un autocar pour visiter l'arrière-pays.

« Ils parlent tout le temps de bouger, dit-elle. Je pense que c'est très bien pour les intellectuels qui veulent trouver autre chose, voyez-vous. Mais je suis heureuse comme je suis. Pourquoi devrais-je bouger ? Je me dis toujours que je devrais envisager des changements, mais je ne peux pas prendre de décision par moi-même. »

Et, un peu plus tard :

« Quand je suis arrivée ici, je me suis installée en me demandant combien de temps ça allait durer. Je me suis demandé si ce n'était pas une autre forme de vie qui allait durer des années, une vie où l'on vieillissait à nouveau avant de passer l'arme à gauche, une nouvelle fois. Je me suis même demandé s'il y avait encore autre chose après ça. Mais personne ne meurt ici.

« C'est tout à fait étrange. On dirait que ça peut continuer indéfiniment. Quand vous en avez assez, quand vous pensez que vous savez tout ce qu'il y a à savoir là où vous êtes, vous pouvez vous en aller en fermant les yeux… et vous vous retrouvez dans une autre sphère. Bien sûr, je suis, d'une certaine manière, morte de peur à cette idée. Je ne veux pas m'en aller. Beaucoup d'amis me disent que je devrais, mais je ne vois aucune raison à ça. Pourquoi devrait-on renoncer à ce qu'on a quand on est content, et se mettre à chercher quelque chose qu'on ne connaît pas ? Je suis heureuse comme je suis. »

Peu après avoir dit ça, elle semble avoir décrété que, décidément, elle n'était pas heureuse.

Trois ans plus tard, en 1966 elle revint parler à nouveau. Woods remarqua quelque chose de différent dans sa voix. Elle semblait avoir perdu son accent cockney. Elle parlait avec une autorité nouvelle.

« Rose, demanda-t-il. Avez-vous bougé finalement ?

— Oh, quelle question amusante !

— Vous nous aviez dit la dernière fois que vous ne vouliez pas bouger.

— Oui, je ne voulais pas, mais j'ai finalement changé d'avis.

— Vous vous êtes décidée ! s'exclama Betty Greene.

— Oui, mais ça nous paraît bien étrange quand vous nous dites : Avez-vous bougé ? Je pense que lorsque vous parlez de bouger, vous avez toutes sortes de... Je veux parler de camionnettes où vous empilez toutes vos affaires et que vous déchargez ensuite. Des meubles que vous mettez en place, un linoléum tout neuf, et tout ça. Bien sûr, bouger veut pas dire ça, ici. Dieu merci ! Rien de pareil. Bouger c'est, d'une certaine façon, plus facile et plus difficile en même temps, car vous ne pouvez pas changer tant que vous ne vous êtes pas rendu ce changement possible. Ça signifie que vous devez prendre sur vous et modifier quelque chose en vous-même, voyez-vous.

« Tandis que, de votre côté, si vous avez envie de... Si vous avez de l'argent... vous pouvez vous en aller quand vous voulez. L'argent ne veut rien dire, ici. Ici, vous ne bougez pas seulement quand vous en avez envie.

— Comment avez-vous bougé ? demanda Betty Greene. Je veux dire : par où êtes-vous passée ? Avez vous connu une expérience particulière ?

— Je pense que tout cela vient en écoutant ceux qui sont plus expérimentés que vous, en faisant attention, en essayant de suivre leurs conseils. Vous atteignez ensuite un certain stade et vous saisissez que l'environnement dans lequel vous vivez est bien pour ce qu'il est, mais qu'il n'est pas suffisant.

— À quoi ressemble votre nouveau mode de vie ? demanda Woods.

— C'est très beau, bien sûr. Je ne dirais pas que c'est plus beau que l'endroit où je vivais avant... mais comment exprimer ça ? Je suis plus heureuse parce que je travaille. Je crois que c'était ça qui me manquait. Je n'avais pas vraiment à faire. Je m'intéressais, bien sûr, aux enfants, mais j'étais pas vraiment active. Pas à la manière dont je le suis, maintenant.

— Quel genre de travail faites-vous, Rose ? demanda Betty Greene.

— Je sais que ça va vous paraître bizarre, mais... euh... j'ai été au collège, dans une école si vous voulez, où j'ai appris des tas de choses sur moi-même et sur les possibilités qui étaient en moi. Bien sûr, quand j'étais de votre côté, je n'étais pas du tout créative et je n'avais aucun bagage d'instruction. Ici, j'ai appris que tout être humain a de grandes possibilités en lui – non seulement pour devenir créatif, mais pour transmettre également son expérience aux autres. Maintenant, je peux retourner dans d'autres sphères. Je peux expliquer ces choses, je peux parler aux gens. Je n'ai jamais bien su m'exprimer. Maintenant, je sais. C'est pour moi une chose merveilleuse !

« Je suis capable d'aller dans les sphères inférieures, d'éduquer les gens, de leur faire comprendre que la situation dans laquelle ils se trouvent est, dans une grande mesure, de leur faute.

— Je voulais vous demander, Rose, dit Betty Greene, si vous vous êtes endormie et si vous vous êtes retrouvée sur un autre plan, ou si le passage d'un plan à l'autre a été graduel ? »

Rose éluda la question.

« Je ne me suis pas mise à emballer mes affaires. Je ne me suis pas renseignée pour savoir si je pouvais avoir une camionnette. C'est tout à fait inutile, ici.

« Voyez-vous ? tout ce que vous possédez, toutes les choses que vous aimez, ici, bien qu'elles soient réelles, aussi réelles que tout ce que vous possédez – sont réelles seulement jusqu'au moment où vous pensez au-delà d'elles.

— Vous croyez pouvoir vous en passer ?

— Vous comprenez que vous pouvez vous en passer. Et je crois que c'est le début du progrès. Quand vous développez un instinct de possession, c'est toujours pour une personne ou une chose. Bien sûr, c'est humain, mais ce n'est pas une bonne chose. Vous devez apprendre à aimer quelque chose ou quelqu'un sans esprit de possession. Vous devez comprendre que les gens que vous aimez sont en eux-mêmes des individus tout comme vous, qu'ils ont droit à leur individualité. Quand vous aimez quelqu'un de plus en plus, votre amour se fait de moins en moins possessif, car vous êtes trop soucieux du bien-être et du bonheur de l'autre. Mais, bien sûr, quand il y a amour véritable et sincère, c'est comme si vous faisiez plus qu'un. Quand vous perdez votre individualité – c'est-à-dire quand vous perdez votre esprit de possession en désirant le bien de quelqu'un – vous parvenez bientôt à l'harmonie et vous vous sentez proche de cette personne, qui se sent elle-même plus proche de vous. En aidant les autres et en pensant à eux vous faites aussi indirectement quelque chose pour vous-même, mais ce n'est pas ce motif qui vous anime.

« Sur terre, les gens qui pensent à quelqu'un d'autre, qui veulent l'aider, sont si souvent directement concernés qu'en fait, ils ne pensent très souvent qu'à eux. Dans le cas d'une épouse, elle pense : si je fais tout ce que je peux pour aider Jack à s'en sortir, son commerce marchera mieux. Nous pourrons alors avoir une maison plus jolie ou nous acheter une voiture neuve.

« Voyez-vous, quand nous pensons aux autres ici, nous ne pensons pas à eux égoïstement. Nous pensons tout le temps à ce que nous pouvons faire pour eux, à la manière dont nous pouvons les sortir du bourbier où ils se trouvent, à la façon dont nous pouvons leur donner une nouvelle vision des choses. Les aider à penser à un niveau différent afin qu'ils puissent, à leur tour, accéder à une espèce de paix qu'ils n'avaient pas auparavant, et aider les autres.

— Votre maison est-elle différente, maintenant, Rose ? demanda Betty Greene en essayant de changer de sujet.

— C'est encore autre chose, répondit Rose. Les gens pensent toujours que si vous progressez, vous devez être un peu plus riche, que vous devez avoir quelque chose de mieux que ce que vous aviez. Mais quand vous commencez vraiment à vous connaître, ce n'est pas la grandeur de la maison ou ce que vous avez à l'intérieur qui importe. Le progrès ne signifie pas que vous allez posséder davantage. Vous pouvez même, du point de vue des objets, en avoir moins. Mais ce que vous avez en plus, c'est l'amour, la paix de l'esprit, la sérénité comme vous dites, le bonheur, parce que vous avez constamment le sentiment de donner, d'aimer, de faire partie du reste de l'humanité. En d'autres termes, c'est en vous perdant que vous vous trouvez.

Personne ne reste satisfait très longtemps. Donnez-leur tout ce qu'ils veulent, toutes les choses qu'ils croient nécessaires, au bout d'un temps, ce besoin s'estompe et ils veulent un petit quelque chose d'autre. Ils s'aperçoivent que c'est pas exactement ce qu'ils espéraient. Je croyais que je serais heureuse avec tout ce que j'avais, mais j'ai vite compris que s'il était vrai que je faisais quelque chose pour les autres, je n'en faisais pas assez. J'ai découvert que toutes ces choses n'avaient plus la même signification à mes yeux et que je devais me battre pour autre chose. Je devais découvrir ce que c'était.

« C'est comme dans votre monde. Vous traversez la vie. Vous possédez, vous créez des choses et des conditions de vie pour vous-même. Vous possédez une jolie maison, vous la meublez et vous êtes heureux. Mais le fait est que si vous deviez vivre pendant des siècles, vous vous lasseriez de tout cela. Les choses qui comptent réellement sont les choses de l'esprit. »

Rose avait fait le premier pas vers une vie qu'aucune des autres voix n'avait décrite, une vie probablement si éloignée de la nôtre que nous ne pouvions pour ainsi dire pas la comprendre.

Terry Smith eut l'intuition de cela dès son arrivée. Son guide lui avait simplement dit que le chat qu'il avait vu dans le salon de sa nouvelle maison avait soixante ans.

Soixante ans ! Je n'avais jamais entendu dire que les chats avaient neuf vies…

« En fait, dit-elle, tout le monde a plusieurs vies. Vous bénéficiez d'une prolongation de vie, mais vous découvrirez que vous aurez une autre prolongation de votre vie, ici aussi, etc. Vous comprendrez plus tard. Vous ne devez pas croire, sous prétexte que vous êtes considéré comme mort, que vous n'aurez pas de prolongation de vie jusqu'à un point où vous serez en mesure d'en bénéficier d'une autre, dans une autre forme de vie. Pour l'instant, ne vous inquiétez pas. Vous découvrirez bientôt que toute vie n'est que la prolongation d'une vie précédente. En d'autres termes, vous irez ainsi de vie en vie, à l'infini.

« Vous vous lasserez de cet endroit, de cette sphère, de cette façon de vivre. Vous comprendrez finalement que vous ne pouvez rien apprendre de plus, que rien ne vous retient ici, et vous ressentirez alors le besoin urgent d'étendre votre expérience. Vous passerez dans une autre existence, dans une sphère supérieure, dans un endroit que vous serez capable d'apprécier et où vous pourrez apprendre et expérimenter des choses que vous ne pouviez acquérir ici. Mais cela peut prendre beaucoup de temps. »

Combien de temps ?

John Brown qui est mort bien avant Terry Smith semble toujours situer les sphères supérieures dans un futur éloigné.

« Vous passez par différents stades d'évolution, dit-il. Et au stade de la réception, stade de réévaluation si on peut s'exprimer ainsi, vous vous défaites de pensées et d'idées qui ont perdu leur sens et qui n'ont jamais vraiment compté pour vous. »

Le Révérend Drayton Thomas, qui initia Woods aux expériences psychiques et mourut en 1953, ne put que rapporter ce qu'on lui avait dit.

« Avez-vous visité une sphère supérieure ? demanda Woods.

— Il existe des lois que personne ne peut transgresser. Le fait est que nous pouvons aller aussi loin que nous le permettent notre développement et nos actions. Mais nous ne pouvons atteindre une sphère supérieure tant que nous ne sommes pas prêts à y accéder. Bien sûr, nous pouvons nous rendre dans les sphères inférieures, mais nous ne pouvons accéder à une condition supérieure tant que nous ne la méritons pas…

« Je ne songerais jamais à accéder à une sphère ou à une condition supérieure que je ne mérite pas, pour laquelle je ne serais pas prêt. Je me rendrai dans les sphères inférieures, car je sais que je pourrai y être de quelque utilité… Je pourrai aider ceux qui ont un développement inférieur au mien. Il n'est pas possible pour moi d'accéder à un stade supérieur. Je n'y serais, de toute façon, pas heureux. »

Dans un sens, je pense que c'est la même chose chez nous. Un homme ne peut être heureux que dans un environnement qui soit fait pour lui. Dans un monde autre, il ne serait pas en paix ou en repos, parce qu'il ne pourrait pas être à l'unisson. Il serait mal à l'aise.

Vous n'accéderez à un point donné que lorsque votre développement vous y conduira.

Les esprits avancés, ceux des sphères vraiment supérieures, sont, semble-t-il, trop éloignés pour se décrire directement à nous. Les témoignages qui nous parviennent sont fondés sur des rumeurs ou des bribes d'information qui sont transmises aux habitants des sphères encore en contact avec la terre. Ainsi, George Hopkins, le fermier du Sussex, qui continue de soigner ses chevaux et son bétail.

« J'en suis arrivé à la conclusion, dit-il, qu'il existe différentes sphères et différents états. À mesure qu'on progresse de l'un à l'autre, les choses qui étaient autrefois indispensables ou importantes disparaissent peu à peu, selon votre compréhension et votre conception… Dans les sphères supérieures, certains aspects de la vie changent de façon si considérable qu'ils seraient difficilement assimilables à la vie telle que nous la concevons.

« On m'a dit – je sais pas ça – mais on m'a dit que les âmes très avancées ne ressentaient pas le besoin d'avoir de corps ! C'est bien sûr quelque chose qui m'échappe. Mais ils disent que lorsque vous êtes très avancé, vous ne ressentez plus le besoin d'avoir un corps, et vous cessez d'avoir une forme, d'exister comme tel. Ça m'intrigue. Mais si j'atteins jamais ce stade, je comprendrai tout ça, sans aucun doute. »

D'autres voix nous ont dit que nous ne pouvions nous attendre à comprendre tout cela maintenant, ni même nous attendre à ce que quelqu'un qui communique avec la terre nous en parle.

« Il est impossible, dit Ellen Terry, pour une âme de décrire les sphères plus avancées. Les sphères proches de la terre peuvent être abondamment évoquées. Mais les âmes qui ont atteint une atmosphère et un mode de vie très éloignés de la terre, ne peuvent plus jamais traduire par des mots le lieu où elles demeurent. »

Une voix affirmant être celle de Holman Hunt, mort en 1962, déclara :

« Nous connaissons, c'est vrai, plusieurs aspects de la nature… mais encore une fois, nous connaissons bien d'autres aspects que nous ne pouvons pas vous expliquer, parce que, très sincèrement, il n'existe pas de langage pour les décrire. »

À ce stade-là, le futur devient une affaire de foi.

« J'ai toujours pensé, expliqua Drayton Thomas, à ce que Jésus disait à cette femme qui touchait le bas de son vêtement : "C'est ta foi qui t'a faite tout entière." Je veux dire que Jésus savait, en lui-même que c'est la force intérieure de chacun de nous qui rend notre salut possible. Personne ne peut nous sauver si ce n'est nous-mêmes. Nous pouvons avoir la foi, ce qui est bien… et nous devrions aussi croire en ces pouvoirs supérieurs. En ces forces supérieures. Mais tant que nous n'avons pas cette foi qui nous permettrait de voir le chemin, nous ne pouvons le suivre. »

La foi implique la religion. La religion est-elle ce chemin qui mène au paradis ? À quoi les principes religieux enseignés sur terre ressemblent-ils considérés du paradis ?

18

LE PROBLÈME DE LA RELIGION

« Vous savez, toutes ces histoires sur le paradis et l'enfer, les trompettes du Jugement dernier et tout le saint-frusquin ? Eh bien, ils n'ont rien pigé du tout.

— Ça m'en a tout l'air.

— Vous savez, les trucs du genre : Si tu agis bien, tu vas au premier étage, si tu agis mal, tu vas à la cave. Ils n'ont rien pigé. Ici, nous sommes comme nous étions avant. En mieux, seulement. Drôlement heureux. »

Les pensées d'Alf Pritchett sur le christianisme sont un exemple frappant de ce que la plupart des voix nous disent : nous n'avons rien compris.

Prenez la voix d'un être évolué : celle de Michael Fearon, par exemple. Professeur de lycée, diplômé de l'université, capitaine au régiment du premier Norfolk, tué trois semaines après le débarquement.

« L'Église, déclara-t-il, prêche encore cette idée ridicule de paradis et d'enfer. Le paradis si vous avez été extrêmement bon. L'enfer si vous avez été extrêmement mauvais Quand on pousse l'analyse plus avant, on s'aperçoit que ça n'a vraiment pas de sens. »

La mère de Michael, Mrs A. C. Fearon qui était avec Woods lors de cet entretien, en 1954, se joignit à la conversation.

« La dernière fois que j'étais là, tu as dit : Pour

l'amour du ciel, qui que vous ameniez, n'amenez pas de curés. Tu le pensais ?

— Je ne veux pas paraître homme à préjugés, répondit Fearon, mais je n'ai pas eu beaucoup de temps à consacrer à l'Église. Tant de ceux qui y adhèrent sont si étroits d'esprit qu'ils ne peuvent aller au-delà d'un certain point. Ils considèrent que tout le savoir peut se résumer en quelques phrases. Ils semblent croire que ce qui est dans la Bible, de la première à la dernière ligne, constitue tout ce qu'il faut savoir. Ils ne peuvent rien accepter au-delà. Et même s'ils affirment accepter tout ce qui est dans la Bible, peu d'entre eux – s'ils sont honnêtes – l'acceptent réellement.

— Leur interprétation n'est pas bonne, n'est-ce pas ? demanda Mrs Fearon.

— Le fait est qu'il y a évidemment beaucoup de vérité dans la Bible – je veux dire dans les enseignements du Christ. Si l'homme suivait son exemple, il ne pourrait pas tellement se tromper dans sa vie matérielle et ses actes. Son développement spirituel serait donc très grand. Mais il se trouve que les interprétations de l'homme sont si étriquées, qu'il tire des choses si compliquées des vérités simples de Jésus, que ça n'a plus aucun rapport avec Jésus…

— Comment expliquerais-tu aux masses, demanda Mrs Fearon, cette religion de Jésus ?

— Tout homme peut trouver Jésus en lui-même. S'il lit sa Bible, s'il se sert de sa sagesse, il peut découvrir la vérité en lui. Mais il doit apprendre à rejeter toutes les choses ajoutées par les ecclésiastiques, au cours des siècles, pour leurs propres desseins.

« L'Église veut imposer son point de vue. Si vous acceptez de croire comme elle vous demande de croire, alors vous êtes parfait quand vous arrivez ici. Croyez-moi, tout ça c'est du vent. Des tas de gens, avec cette conception étroite de la vie et de la religion, ont découvert combien les choses étaient différentes en arrivant ici. En fait, ils se sont trouvés freinés dans leur évolution.

« Certains de ceux qui arrivent ici croient encore être les élus de Dieu et vivent dans une certaine sphère. Ils croient être les seuls à exister en ce monde. Ils ont une conception si étroite des choses qu'ils croient être les seuls à avoir été ressuscités, comme ils disent. Ils s'attendent même à revenir sur terre, sous une forme physique. Ils attendent la résurrection des corps.

— Qu'arrive-t-il, Mike, demanda Woods, à ces gens trop attachés aux croyances et aux dogmes, quand ils meurent ?

— L'homme, immédiatement après sa mort, répondit Fearon, n'est pas différent de ce qu'il était cinq minutes avant. Je veux parler de ses conceptions, de son caractère, de sa personnalité. Ainsi quelqu'un qui avait de très fortes convictions religieuses les conserve en arrivant ici. Mais il comprend qu'il est comme un poisson hors de l'eau, que nombre de ses vieilles idées et croyances ne correspondent à rien.

« La première chose dont il prend conscience est que tout est normal, naturel. Les gens, en eux-mêmes, sont vraiment semblables à ce qu'ils étaient sur terre, mais sans la lourdeur de la vie matérielle. Il prend également conscience du fait que nombre de ses vieilles idées sur le ciel et l'enfer ne relevaient que de l'imagination des hommes. Il doit s'adapter à sa nouvelle condition. »

Fearon exagérait-il ? Neuf ans plus tard, une voix disant être celle d'une des personnes décrites par Fearon prit la parole.

« Je m'appelle Briggs, dit-elle. J'ai été membre des christadelphiens pendant de nombreuses années, quand j'étais de votre côté. C'est une secte américaine qui croit que ses membres – et eux seuls – seront ressuscités d'entre les morts et qu'eux seuls reviendront sur terre, le jour où le Christ reviendra à Jérusalem pour soumettre le monde.

« Dans mon esprit étroit, poursuivit-il, je croyais sincèrement que seuls ceux qui acceptaient et croyaient ce que j'acceptais et croyais, hériteraient du royaume de Dieu. Je sais, aujourd'hui, que j'ai commis une grave erreur. Tous les hommes héritent du royaume de Dieu, car c'est une loi naturelle. Quand un homme meurt, son esprit hérite des royaumes spirituels qui entourent le monde terrestre. C'est inéluctable.

« Personne n'est oublié. L'homme hérite selon sa nature et l'ampleur ou la pauvreté de ses réalisations allant donc, en ce cas-là, dans une condition moindre, une sphère inférieure. En d'autres termes, l'homme reçoit exactement ce qu'il a lui-même créé sur terre, par sa vie, ses actes et ses conceptions. La religion en soi ne peut sauver un homme. La religion ne rend pas nécessairement un homme meilleur. Cela ne peut se produire que lorsque l'homme comprend qu'il est déjà un être spirituel à l'état embryonnaire. »

Il poursuivit et raconta son arrivée au paradis.

« Mon esprit était fermé à la vérité. Quand je suis arrivé ici, la première fois, je me suis retrouvé dans un environnement qui me satisfaisait tout à fait. J'étais au paradis. Je comprends aujourd'hui que j'étais dans le paradis d'un fou. C'était un mode de vie qui consistait essentiellement à regrouper des gens aux conceptions identiques, des gens qui avaient cru comme moi, qui avaient accepté comme moi ce que j'avais pris pour l'entière et absolue vérité. Nous nous satisfaisions de nos réunions, de nos chants, de nos prières, et nous parlions du jour où nous reviendrions sur terre pour être ressuscités comme on nous l'avait dit. Nous réintégrerions alors nos corps physiques, redeviendrions des êtres vivants dans un paradis terrestre. »

Sa rééducation fut très lente.

Elle débuta le jour où il commença à se sentir mal à l'aise, puis curieux, puis conscient du fait que d'autres personnes, qui n'appartenaient pas à sa secte, semblaient elles aussi vivre au paradis.

Elles se mirent à lui parler. L'une d'entre elles, un homme du nom de Bernard, l'emmena dans une longue promenade et lui dit qu'il avait été prêtre. Briggs fut horrifié. Catholiques et spiritualistes, lui avait-on dit, étaient tous damnés. « Pas besoin de t'inquiéter, dit Bernard. Nous avions tous les deux des conceptions très arrêtées et nous nous sommes trompés tous les deux. »

Leur voyage les fit passer par une série de petites communautés isolées où les gens s'habillaient et vivaient encore, comme ils le faisaient trois ou quatre siècles auparavant, sur terre. Et le voyage se termina dans une ville magnifique où tout le monde semblait affectueux et dépourvu d'inhibitions.

« Et ici, dit-il, j'ai trouvé cette paix que je voudrais communiquer au monde entier. Je voudrais dire à tous qu'il n'existe aucune barrière pour l'homme, une fois que son esprit est libre, une fois qu'il est libre de penser par lui-même, sa rééducation est achevée. »

Si Fearon et Briggs ont raison, les évêquent et les autres chefs religieux se sont-ils trompés ? Si oui, comprennent-ils leur erreur, quand ils arrivent au paradis et qu'ils le trouvent rempli de gens qui selon eux ne devaient jamais y avoir accès ?

L'un des interlocuteurs les plus assidus fut Cosmo Lang, archevêque de Canterbury dans les années trente. Son opposition inébranlable au mariage du roi Edouard VIII avec une femme divorcée avait rendu inévitable l'abdication du souverain.

C'était en 1959. Betty Greene posa immédiatement sa question rituelle : « Quelle a été votre réaction en constatant que vous étiez mort ?

— J'étais surpris, répondit-il. Je crois, en un sens, que j'avais des convictions religieuses étroites. Je me suis rendu compte que certaines choses que je croyais absolument vraies ne l'étaient pas nécessairement. Je comprends maintenant que nombre de choses que je croyais vraies ne l'étaient pas.

« On est enclin, sans doute au fil des siècles, à obscurcir la vérité... c'est-à-dire les simples vérités dont Jésus fit part au monde. Le dogme et les croyances qui faisaient, bien sûr, partie de ma vie, n'existaient pas ici. Un homme, après sa mort, n'est pas plus qu'il n'était de son vivant. »

Une voix s'annonçant comme celle de Dean Inge, se présenta en 1960. Doyen de St Paul et théologien célèbre des années trente, il avait fait la même expérience.

« La plupart des choses que j'avais prêchées, nous confessa-t-il, que j'avais affirmé être des vérités – j'ai sincèrement cru pendant longtemps qu'elles l'étaient – m'ont empêché de progresser et m'en empêchent encore... Quand un homme quitte votre monde – comme il le fait si souvent – avec des vues arrêtées, figées, définitives, sa tâche est difficile. Il doit désapprendre – comme je l'ai fait – bien des choses et doit retrouver l'esprit ouvert, avide de vérité, d'un enfant. »

Qu'est-ce que la vérité ? La religion organisée survit-elle dans l'autre monde ? Combien de temps faut-il pour se défaire des idées inculquées par l'Église, idées dans lesquelles nous avons été élevés ?

« Avez-vous des églises, dans votre monde ? demanda Woods, quand Elisabeth Fry revint prendre la parole en 1962.

— Sur certaines sphères, près de la terre, répondit-elle, vous trouverez de nombreuses églises de dénominations et de croyances diverses, continuant de prêcher ce qu'elles prêchaient déjà sur terre et heureuses d'y croire. Je pense que l'on pourrait parler de vie en état d'ignorance. On a dit que l'ignorance, c'est la félicité. Mais un temps vient où toute l'humanité aspire à en savoir davantage. Là est le progrès. »

Les voix chrétiennes nous disent que différents courants de christianisme devraient apprendre que leurs vues particulières du Christ ne sont pas plus vraies que celles de leurs rivaux. Le christianisme a-t-il plus de chance d'être vrai que l'islamisme, l'hindouisme, le bouddhisme ou que tout autre religion de la terre ? Y a-t-il une vérité universelle ?

La réponse nous fut donnée par une voix disant être celle d'une des personnalités les plus hautes et les plus saintes du XXe siècle, née dans la religion hindouiste, mais révérée par de nombreux chrétiens et agnostiques humanitaires : le Mahatma Gandhi.

« Dans toutes les organisations religieuses, comme vous les appelez, dit-il, il y a çà et là des âmes bonnes et sincères. Malheureusement, l'homme ne peut concevoir la vérité que de son point de vue limité et étriqué. Il ne peut accepter que ce qu'il a accepté et conçu depuis toujours. »

Pour lui, la révélation de Dieu n'est qu'un livre fermé. Ce qu'il sait n'a été révélé qu'à lui et à lui seul. Il ne comprend pas qu'il y ait eu, à travers les siècles, de grands prophètes. Sa religion lui donne peut-être dans un sens étroit une espèce de paix.

La première leçon que l'on doit tirer est qu'il faut s'oublier soi-même, et donner tout l'amour que l'on peut trouver en soi. En s'oubliant, l'homme se trouvera. La première loi est d'aimer son prochain plus que soi-même. C'est ainsi que l'on commence à vivre.

Après quelques années passées au paradis, Cosmo Lang, archevêque de Canterbury, semble parler le même langage que Gandhi, l'Hindou, et un langage proche aussi de celui de Rose, la petite marchande de fleurs de Charing Cross.

« Jésus, dit-il, voulait que les êtres humains parviennent à trouver, à travers l'amour, le sacrifice même, si nécessaire, la route qui ramenait vers le divin père, vers Dieu. Car "je suis la route, la vérité et la vie. Aucun homme ne rejoint le père, sinon par moi".

« Cela a été mal interprété, à travers les siècles, et est devenu le fondement de bien des dogmes. De nombreuses erreurs ont été ainsi commises par une mauvaise interprétation de ces paroles : "Je suis la route, la vérité et la vie." » Que voulait-il dire ? Il voulait dire qu'il fallait suivre ses pas, c'est-à-dire être à son image, sacrifier l'aspect physique des choses, réaliser la force et la grâce spirituelles qui sont au cœur de chaque homme, se concentrer sur les choses de l'esprit et surmonter ainsi les faiblesses de la chair. C'est cela "la route, la vérité et la vie".

« "Aucun homme ne rejoint le père, sinon par moi." En d'autres termes, il n'existe de salut que si l'on me suit, que si l'on fait ce que je fais, que si l'on tend à devenir semblable à moi.

« Jésus ne se souciait pas des choses matérielles en tant que telles. Il se souciait de l'aspect spirituel de l'homme. Quand il fit don de sa vie sur la croix, il le fit parce que c'était le seul moyen de convaincre, de prouver que les choses terrestres étaient de peu d'importance. C'est le spirituel qui lui importait. Tout sacrifier pour ce qui est Dieu. Et comme vous le savez, il est réapparu après sa mort, donnant ainsi la preuve et fondant – quoique je n'aie pas le sentiment qu'il soit revenu uniquement pour cela – une religion telle que l'entend le monde, aujourd'hui.

« S'il n'était pas ressuscité d'entre les morts, il n'y aurait pas eu de foi chrétienne. Mais, tel que je le vois et que je le comprends maintenant, je saisis avec plus de lucidité, de sagesse et de certitude les raisons et le but de la vie de Jésus. Je suis convaincu que lorsque nous essayerons de le suivre – et qu'importe la religion à laquelle nous appartenons – nous pouvons oublier et rejeter toutes nos croyances et nos dogmes, et nous faire simples en Jésus.

« Nous découvrirons la sagesse dans la simplicité, dans la sagesse, nous découvrirons la route ; et la route nous rapprochera de notre père divin, de notre créateur… Le suivre, prendre sa croix sur nos épaules et comprendre que dans l'amour réside notre salut. »

L'archevêque anglican, le chef des Hindous et la marchande de fleurs, jadis illettrée, semblent tous parler le même langage. Un langage qu'ils peuvent tous comprendre. Ils semblent être, ainsi, très proches d'une foi qu'ils peuvent partager.

Si la voix qui disait être celle de Lang était authentique, les croyances des chrétiens orthodoxes pourraient se réconcilier avec les doutes et les espoirs de toutes les croyances ou non-croyances. Les discussions pourraient disparaître.

Mais était-ce bien la voix de Cosmo Lang ? Pouvons-nous l'affirmer ?

19

OBSERVATIONS SUR LES MÉDIUMS

Si Lang, en tant qu'archevêque de Canterbury avait, du haut de sa chaire, exposé son interprétation du Christ et du christianisme – celle-là même qu'il donna à Woods et à Betty Greene – il aurait certainement fait sensation. Un très large écho aurait été donné à ses paroles et des hommes de réflexion l'auraient lu avec beaucoup d'intérêt et de respect.

Malheureusement, il n'arriva à ces conclusions qu'après sa mort. Son message parvint sous la forme d'une voix dans l'obscurité, par le biais d'une méthode portant l'étiquette suspecte du spiritualisme.

On avait appris aux chrétiens pratiquants à se détourner de ce spiritualisme. Les anglicans orthodoxes qui se souviennent de Lang, se souviendront également qu'il avait rejeté le spiritualisme de son vivant.

Dans les années trente, alors qu'il était primat de l'Église d'Angleterre, Lang créa un comité, sous la présidence de l'évêque de Bath et de Wells, le Dr Francis Underwood, pour vérifier la réalité des phénomènes psychiques. Au bout de deux années d'enquête, le comité conclut que certaines des expériences psychiques des médiums constituaient des cas *prima facie* en ce qui concerne la survie et la possibilité de communication avec les esprits.

Ils ajoutèrent qu'il était probable que l'hypothèse selon laquelle ils proviennent, dans certains cas, d'esprits désincarnés, était la bonne.

Mais l'archevêque Lang n'autorisa jamais la publication du rapport, qui est tenu officiellement secret aujourd'hui encore.

Est-il possible que de tous, ce soit lui qui ait aujourd'hui recours au spiritualisme – méthode qu'il rejetait du temps où il était archevêque – pour nous faire part de ses vues sur la religion et l'immortalité, à nous encore vivants en ce monde ?

Si c'est bien Lang, ses opinions religieuses se sont modifiées et son point de vue sur la communication avec les esprits a complètement changé.

« En ce qui concerne le spiritualisme, dit-il à Woods et à Betty Greene, j'avais peur qu'il ne mine l'Église et ne la détruise. Je n'étais pas très sûr qu'il ait quoi que ce soit de bon à offrir. Mes idées ont depuis bien changé. Je pense que c'est une chose tellement fondamentale que tout le monde devrait en avoir conscience. »

Il émet encore des réserves.

« Je pense qu'il est dangereux si l'on s'en sert dans le mauvais sens.

« Si vous avez l'intention d'entrer en contact avec des forces supérieures – les bonnes forces, celles qui peuvent aider le monde, celles qui peuvent élever l'humanité – vous devez avoir des instruments qui soient de l'ordre de la pensée et de l'esprit. Il me semble que nombre de ces instruments sont, malheureusement, d'un ordre bien inférieur.

« Vous ne faites, en quelque sorte, qu'égratigner la surface des mondes astraux. C'est ce que font quatre-vingt-dix-neuf pour cent de vos instruments. C'est non seulement mal, mais dangereux. Les semblables s'attirent. Les entités inférieures liées à la terre peuvent utiliser des instruments, et à travers ceux-ci, parler et raconter aux gens des choses fausses.

« Je comprends bien que, de ce que vous appelez Spiritualisme, des choses positives peuvent venir. En fait, c'est l'essence même de la première Église – ces premiers chrétiens qui s'assemblaient, possédés par la puissance du Seigneur.

« Je comprends que les gens de votre monde aspirent au réconfort, quand ils sont attristés par la perte d'un être cher. Il est naturel qu'ils aient besoin d'une preuve. Je ne sais que trop bien que cette preuve est donnée – et le sera toujours – quand le besoin urgent s'en fait sentir. »

Woods et Betty Greene n'ont jamais manqué de conseils et d'avertissements sur les dangers inhérents au spiritualisme. Même de la part de ceux qui avaient été les médiums les plus réputés, du temps où ils étaient sur terre. Ainsi, John Brown, médium personnel de la reine Victoria.

L'histoire de cet Écossais, d'extraction modeste, qui établit son influence sur la reine en la mettant en contact avec Albert, son bien-aimé, est trop connue pour être à nouveau racontée en détail.

« Savez-vous que Victoria était très intéressée par ce sujet ? dit-il.

— Oui, répondit Betty Greene. Vous nous l'avez déjà dit, John.

— Elle éprouvait le désir ardent d'entrer en contact avec lui, poursuivit Brown. Vous connaissez l'histoire. Bien sûr, ses journaux intimes ont été détruits – c'est dommage, car elle y notait absolument tout. En fait, elle avait de petits livres spéciaux qu'elle conservait avec toutes ses lettres, ses messages, etc. Nous étions très proches l'un de l'autre dans ce travail, quoiqu'elle dût, de par sa position, garder le secret le plus absolu sur nos activités. Nos petites séances se déroulaient de temps à autre, à Osborne.

« J'étais une personne très terre à terre, par bien des aspects, mais pourvue d'un grand don. Cela vaut, bien sûr, pour de nombreux médiums, malheureusement. Ils ont de grands dons spirituels qui peuvent être utilisés à faire le bien. Ce ne sont pas, en eux-mêmes des êtres mauvais, mais ils sont très enclins au matérialisme. Et, bien sûr, dans mon association particulière avec Sa Majesté, j'avais, tout en n'étant qu'un homme ordinaire, été placé dans une position où tout ce que je disais, si étrange, que ça puisse paraître était parole d'évangile.

« Je me glorifiais parfois de ma puissance. Je saisis aujourd'hui combien j'avais tort. Mais à l'époque, je crois que – avec le respect et l'affection que la reine avait pour moi – j'étais capable de faire beaucoup pour elle, de la soutenir dans son chagrin. Et parfois, je vous le dis, au cours de nos séances, elle recevait des conseils importants qui avaient à voir avec… euh… la raison d'État.

« Nombre d'idées que proposa à l'époque Sa Majesté à son gouvernement n'étaient que des idées qui lui avaient été transmises au cours de ces séances. Quand elle était, elle-même, hésitante ou perplexe, elle demandait un avis, un conseil. Mais je ne devrais peut-être pas dire toutes ces choses, maintenant. »

De plus grandes réserves ont été émises par une voix disant être celle d'Emma Hardinge Britten, l'une des plus célèbres médiums du XIXe siècle. Elle fit écho aux critiques adressées par des consultants peu convaincus.

« Tant de propos vaseux circulent parmi les médiums et les spiritualistes, dit-elle en 1969. Il y a tant de charlatans qui, parce qu'ils ferment les yeux, se croient médiums. Il y a beaucoup de sottises dans tout ça. Tant de choses portées au crédit de l'esprit ne sont en fait que le produit d'imaginations fertiles ou de gens désireux d'être pris pour ce qu'ils ne sont pas. Nous devons lutter contre ça.

« Des tas de gens, dans le mouvement spiritualiste, ne sont pas des médiums, mais se considèrent comme tels et sont malheureusement acceptés comme tels par des esprits à qui on aurait volontiers accordé plus d'intelligence. Ce manque d'intelligence – dans le mouvement spiritualiste – nous fait parfois grand tort. Nous ne vous demandons pas de tout prendre pour argent comptant. Nous vous demandons d'user de votre bon sens. Nous vous demandons de comprendre qu'il ne peut pas ne pas y avoir, par la nature même de la communication, quelques décalages dus à des difficultés multiples. »

Ces critiques ne s'appliquaient apparemment pas à Woods et à Betty Greene. Car la voix poursuivit :

« Mais vous devez avoir plus confiance en cette méthode de communication que dans les sottises de tous ces charlatans qui, soi-disant, vous en donnent tant et tant et qui, lorsqu'on y regarde ensuite de plus près, ne vous ont pas donné grand-chose sinon rien.

« Nous vous donnons – du mieux que nous le pouvons – *une communication directe*, supérieure et de loin à n'importe quelle autre forme de communication dans votre monde.

« Nous ferons tout ce qui est en notre pouvoir pour vous aider. Nous amènerons de temps à autre des gens d'origines très différentes pour vous aider. Mais il y aura des difficultés. Il faut s'y attendre et vous en êtes conscients. Mais lorsque vous recevrez une bonne communication, que vous l'enregistrerez et la ferez circuler, vous pourrez être certains d'avoir planté des graines dans un sol fertile.

« Certaines graines tomberont, çà et là, dans des esprits butés, fermés à la vérité. Mais je soutiens que cette méthode de communication, intelligemment utilisée et appliquée, peut faire plus pour la vérité que tout autre. »

Pourquoi ces divergences ? Pourquoi ce flou dans les déclarations ? Pourquoi certaines séances sont-elles si décevantes ?

Les défauts des médiums impuissants ont été assez souvent dénoncés et ridiculisés par des journalistes sceptiques et leurs révélations considérées comme pure et simple fumisterie. À en croire les voix, la frustration des esprits qui essaient de faire passer leur message de l'autre monde dans le nôtre peut être encore pire.

Personne ne souffrit plus, entre les mains d'un médium médiocre, qu'Alfred Higgins, le peintre et décorateur de Brighton, mort en tombant d'une échelle. Personne ne souffrit plus que lui tandis qu'il essayait de faire passer un message à sa veuve.

« On m'a emmené, dit-il, dans une église – une église spiritualiste – et je me suis dit : Si seulement je pouvais faire parvenir un message à ma femme. Elle n'était pas là, bien sûr. Je me suis donc dit qu'il fallait l'impressionner, la convaincre de venir. Je lui ai donc rendu visite et j'ai tenté de la persuader.

« Une nuit j'étais dans l'église. Je sais que j'étais parvenu à décider ma femme à y venir : je l'avais harcelée toute la journée. En fait, je la harcelais depuis plusieurs jours. Elle était assise dans le fond de l'église, et un médium, une femme, était sur l'estrade. Je l'ai regardée et je me suis dit : c'est bien ma chance de tomber sur quelqu'un comme ça ! Elle ne me semble pas valoir grand-chose.

« J'avais vu de bons et de mauvais médiums. Elle n'avait pas l'air d'y voir très clair et ne semblait pas très capable de décrire.

« Quand elle s'est mise à transmettre le message habituel, je me suis dit : Il est temps que j'intervienne. Il faut que je fasse quelque chose. Je me suis concentré comme un fou et j'ai dirigé mes pensées sur elle. Finalement, elle les a interceptées.

« Elle a capté certaines des choses que j'essayais de lui transmettre. Elle n'arrêtait pas de dire qu'elle voyait une échelle. Elle avait tout mélangé, bien sûr.

« — Je ne sais pas, a-t-elle dit à ma femme, si vous allez avoir de la chance, mais je vois une échelle près de vous.

« Je me suis dit : Comme résultat, ce n'est pas mal ! Ça vaut bien la peine de crier comme un dingue !

« — Eh bien, a dit ma femme, je vois bien ce que veut dire l'échelle.

« Évidemment le médium avait tout compris de travers.

« — Je crois qu'il va vous arriver quelque chose de très bien, a-t-elle dit. Je vous vois en train de monter, de monter en haut de cette échelle. Vous grimpez vers le succès.

« Ce n'était, bien sûr, pas du tout ce que j'essayais de dire à ce médium stupide. C'était son interprétation ! Je me suis dit : Bon Dieu, il faut faire quelque chose ! Elle a fini par capter des bribes de mes pensées et j'ai enfin pu lui faire parvenir mon nom. Et puis ma femme a dit :

« — Je crois comprendre ce que vous voulez dire. (Et elle a ajouté :) Mon mari s'est tué en tombant d'une échelle. Il s'appelait Alf.

« Je me suis dit que j'étais quand même arrivé à ça. Mais le médium avait tout gâché. Pourquoi me ronger les sangs ? me suis-je dit. Que puis-je bien dire qui accrocherait son attention ? J'ai réfléchi avec acharnement.

« Et puis j'ai dit… ou plutôt j'ai influencé et impressionné le médium qui a dit :

« — Cet anneau que vous portez n'est pas le véritable anneau. Ce n'est pas le même.

« Cela ne voulait rien dire, je suppose, pour personne, mais cela avait une énorme signification pour ma femme, car elle avait en fait perdu son alliance ; elle avait tout fait pour que je ne le sache pas et ne me mette pas en colère. Elle était donc allée en acheter une autre tout à fait identique, voyez-vous. J'avais appris cela depuis que j'étais mort. Je me suis dit que cela allait la secouer.

« Elle est devenue pâle comme un linge et a dit :

« — Comment mon mari peut-il le savoir ? Je le lui avais pourtant caché…

« Le médium s'est, bien entendu, mis à se rengorger. Vous savez comment certains se comportent…

« — Voyez-vous, a-t-elle dit, c'est une preuve flagrante de la présence de votre mari.

« Elle ne se sentait plus d'aise. Elle avait vraiment le sentiment d'être en forme, ce soir-là !

« Il y a des tas de gens très bien, très sincères parmi les médiums. Vraiment sincères. Mais la moitié d'entre eux sont inexpérimentés, pas vraiment évolués, et ce qu'ils disent naît souvent de leur imagination. Parfois, ils sont capables de capter quelque chose. Je veux dire que nous arrivons à faire passer nos pensées dans leurs cerveaux. Mais ils font beaucoup de mal, la plupart du temps. »

Higgins venait d'expliquer pourquoi le message du spiritualisme avait convaincu si peu de monde et avait fait si peu pour renforcer une croyance religieuse ébranlée – celle de la Résurrection –, vieille de deux mille ans.

Serait-ce différent si chaque séance fournissait des preuves aussi fortes et aussi cohérentes que celles données par Woods et Betty Greene ?

Pourquoi peuvent-ils, eux, converser intelligemment avec les morts alors que d'autres doivent souvent, lors d'une séance ordinaire, se satisfaire de détails du genre de ceux reçus par Mrs Higgins ?

L'une des raisons est qu'ils s'adressent à un médium exceptionnel, un médiateur idéal pour la forme de communication la plus précise jamais instaurée entre ce monde-ci et le stade suivant d'existence.

Une autre raison fut donnée à Woods et à Betty Greene, le 1er septembre 1963, par une voix masculine, parlant avec une autorité inhabituelle. L'esprit refusa de dévoiler son nom et demanda que les consultations se réfèrent à lui en l'appelant « Pierre ».

« Le nombre de gens qui vont voir des médiums, dit-il, en pensant qu'ils n'ont qu'à s'asseoir et que le reste viendra tout seul, est incroyable. Si seulement ils réfléchissaient sérieusement, ils sauraient qu'il n'est pas toujours possible – en fait, très rare – d'obtenir d'excellents résultats, la première fois.

« Seuls les guides et les médiateurs extrêmement expérimentés sont capables de soutenir une longue et intelligente conversation. Voilà pourquoi vos séances sont uniques, et pourquoi les gens, lorsqu'ils ont écouté vos bandes, disent : C'est merveilleux ! Voilà une longue conversation, pleine de personnalité et de caractère ! Et ils croient immédiatement que si vous les présentiez à ce médium ou que vous organisiez une séance pour eux-mêmes, ils pourraient vivre la même expérience que vous.

« C'est ridicule, parce que c'est extrêmement improbable. Ces gens ne savent pas qu'il vous a fallu des années pour acquérir l'expérience que vous détenez et qu'il a fallu aux gens de notre monde des années, également, pour réussir à communiquer.

« Une bonne communication ne peut se produire que si les participants assistent régulièrement aux séances avec le même instrument afin que les guides et les gens qui viennent de notre monde puissent, après une longue période, réunir certaines conditions favorables et instaurer – par la mise à l'unisson des vibrations – une union parfaite, une harmonie.

« La majorité des gens ignore ces choses-là. Vous amenez quelqu'un ici en toute bonne foi et que se passe-t-il ? Nous fournirons peut-être un énorme effort pour aider cette personne, comme nous l'avons déjà fait par le passé. Puis elle s'en ira en disant : Oui, c'était très intéressant, mais ça n'est pas aussi bien que lorsque Mr Woods et Mrs Greene me font écouter leurs bandes.

« C'est pourquoi les choses sont différentes quand vous venez tous les deux. Je ne vous conseillerais pas d'augmenter le nombre des participants à ces séances, si fortes que puissent être les pressions exercées sur vous, car ce pourrait être fatal du point de vue de la réussite.

« Nous ne voulons pas d'autres participants à ces séances. Nous ne voulons pas qu'ils viennent troubler l'instrument ou les conditions qui sont bonnes. De plus, nous recevons de vous suffisamment de pouvoir pour nous permettre de faire ce travail.

« Vous avez été amenés à cette activité dans un but précis. Et vous le savez. Vous êtes médiums dans la mesure où vous avez été appelés à l'être. Vous permettez à des milliers de personnes d'apprendre quelque chose sur la vie après la mort, sur la communication.

« Il y a bien trop de gens égoïstes, même parmi les spiritualistes, trop de gens seulement soucieux de ce qu'ils peuvent retirer d'une telle expérience, trop de gens qui ne se sentent pas vraiment concernés par les vérités spirituelles. C'est pourquoi ils posent souvent des questions aussi mondaines, aussi matérielles, en rapport direct avec leurs affaires ou leurs liaisons sentimentales. Plus de soixante-dix pour cent des gens ne sont intéressés que par l'aspect frivole de l'expérience : parviendront-ils à recevoir un message de la personne en question – message qui les aiderait à résoudre le problème matériel qui les tourmente ?

« Pourquoi le mouvement spiritualiste n'a-t-il pas touché et changé la face du monde entier ? Je peux vous le dire. C'est parce que les spiritualistes sont, vraisemblablement, sur de nombreux plans, les gens les moins "spirituels" qui soient.

« Il existe de nombreuses pensées confuses, dans votre monde. Mais il n'existe qu'une vérité et c'est la vérité de la vie éternelle : tous ceux qui meurent, vivent.

« Nous vous sommes reconnaissants parce que vous êtes les seuls – ou presque – à avoir le véritable esprit, l'au-thentique compréhension. Vos esprits sont libres et ouverts, prêts à recevoir. Ils n'ont pas de préjugés. Nous ne rencontrons pas chez vous les obstacles que nous trouvons si souvent chez ceux qui veulent cerner la vérité, la lier – elle doit toujours rester libre – à leur religion personnelle. Ils veulent essayer – s'ils le peuvent – d'abaisser cette grande vérité à un niveau où ils soient capables de la comprendre et de l'apprécier – parce qu'elle doit être dans les limites de leur propre religion, de leurs dogmes ou de leurs croyances. Nous n'avons pas de dogmes. Nous n'avons pas de religion, au sens où vous l'entendez. Nous avons une liberté d'expression, une liberté de pensée qui va bien au-delà des limites de l'homme, de sa mesquinerie et de sa sottise. Nous sommes libres de dire la vérité et c'est pour ça que nous sommes heureux de venir et de vous la dire. »

Frappe, est-il dit, et on t'ouvrira. Il y a ceux qui frappent doucement et s'étonnent que personne ne les entende. Il y a ceux qui essaient vainement de tourner le loquet de la porte. Et il y a ceux qui poussent de tout leur poids jusqu'à ce que la porte cède.

Parce qu'ils ont agi brutalement, ou parce qu'ils étaient trop angoissés ou qu'ils ont poussé trop fort au mauvais sens du terme, ils n'ont pas su voir l'esprit, par la porte grande ouverte.

Vous, mes amis, vous êtes bons et vous faites ce que vous pouvez, avec générosité et l'esprit ouvert. Et, donc, vous recevez. En retour, vous êtes capables d'aider ceux qui cherchent vraiment.

Si Pierre a raison, il semble donc que les bandes enregistrées par Mr Woods et Mrs Greene soient la meilleure preuve que le monde ait jamais reçue sur la vie après la mort. La preuve la plus détaillée de l'immortalité de l'homme que nous possédions. Pouvons-nous prouver qu'il a raison ?

20

TESTS DE VOIX

Nous finissons par le problème avec lequel nous avions commencé. D'où viennent les voix ? Viennent-elles du médium ? Sont-elles le fait d'un ventriloque ?

Avant que Woods et Betty Greene ne commencent leurs séances, Leslie Flint avait déjà subi et passé avec succès les tests les plus complexes et les plus astreignants que des enquêteurs du domaine psychique aient pu imaginer.

Leslie Flint revendique d'ailleurs à bon droit d'être « le médium le plus testé de ce pays ». Ajoutant : « Le médium le plus enclin à se laisser tester à chaque fois que cela doit servir la vérité. »

L'un des enquêteurs était le Dr Louis Young, qui avait travaillé avec Thomas Edison, l'inventeur américain de la lampe à incandescence, du micro et du phonographe. Louis Young avait déjà dénoncé le caractère suspect de nombreux médiums américains.

Flint fut contraint, entre autres, de remplir sa bouche d'eau colorée… On alluma les lumières. Flint recracha l'eau dans un verre.

En 1948, le révérend Drayton Thomas, alors membre du Conseil de la Société de Recherches psychiques, lui fit passer un autre test dont il rendit compte dans le magazine *Psychic News* du 14 février.

« *Le 5 février, je mis sur les lèvres, hermétiquement fermées, de Flint, une bande adhésive d'elastoplast de dix centimètres de long sur cinq de large. Je posai ensuite une écharpe par-dessus, en guise de bâillon. Puis j'attachai solidement les mains du médium aux bras de la chaise et me servis également d'une corde pour lui maintenir la tête bien droite. Ainsi, même en supposant qu'il essayât de se défaire de son bandage durant la transe, j'étais sûr qu'il lui serait impossible d'y parvenir.*

N'importe qui peut constater, en fermant la bouche hermétiquement et en essayant de parler, que les sons produits sont étouffés, inintelligibles. Mon expérience tendait à prouver que, dans de telles conditions, un discours parfaitement cohérent pouvait être tenu par voix directe.

L'expérience fut tout à fait concluante. Les voix se mirent très vite à parler avec leur clarté habituelle, et Mickey (le guide de Flint) cria même très fort. Quelque douze personnes assistaient à l'expérience. Nous en entendîmes assez pour satisfaire le plus sceptique d'entre nous et pour démontrer que le bâillon apposé sur la bouche de Flint n'empêchait en rien les interlocuteurs de s'exprimer comme ils le voulaient.

À la fin de la séance, j'examinai les cordages et le tissu adhésif. Je les trouvai intacts et en place. Le tissu adhésif adhérait d'ailleurs si bien aux lèvres de Flint que j'eus de la peine à lui enlever sans lui faire mal. »

Dans une autre série de tests, un micro relié à un amplificateur fut fixé à la gorge de Flint pour enregistrer tous les sons qu'il pourrait proférer. Ses mains furent liées et maintenues par des observateurs, assis de chaque côté de son fauteuil. Les enquêteurs observèrent ses mouvements avec un télescope à infrarouge. Les voix parlèrent à nouveau. Et les enquêteurs purent voir les capteurs de voix se constituer, à cinquante centimètres au-dessus de la tête de Flint.

Si les voix ne viennent pas de Flint, d'où viennent-elles ? Peuvent-elles être comparées à celles des gens de qui elles se réclament ?

Dès l'instant où il commença ses enregistrements, Woods envoya une invitation à tous ceux qui connaissaient les gens dont les voix se réclamaient : ils devraient écouter les bandes et lui dire si les voix étaient authentiques.

L'une des premières voix fut celle de Michael Fearon, dont il a déjà été fait mention dans ce livre. Woods assista à la séance avec la mère de Michael. La voix conversa longtemps avec eux deux, Mrs Fearon fut convaincue d'avoir parlé pendant tout ce temps avec son fils.

Le 19 avril 1962, une voix disant être celle de F. E. Smith, Lord Birkenhead, ex-ministre de la Justice, déclara qu'elle avait changé d'avis sur la peine de mort et donna ses raisons en arguant du fait qu'elle faisait plus de mal que de bien.

On fit écouter la bande à feu Charles Loseby, avocat de Sa Majesté, qui avait été l'élève de Smith à Gray's Inn. Il écrivit à Woods le 21 novembre 1965 de sa maison de Guernesey dans les îles anglo-normandes :

« *Je soussigné Charles Loseby Avocat de Sa Majesté, affirme par la présente avoir entendu la voix de feu F. E. Smith, Lord Birkenhead, ex-ministre de la Justice d'Angleterre, sur une bande magnétique enregistrée par Mr S. G. Woods, lors d'une séance en voix*

231

directe faite à Londres en présence de Mr Leslie Flint, le célèbre médium.

Après avoir pris toutes les précautions nécessaires afin d'éviter tout malentendu, vice ou erreur, je me déclare totalement satisfait.

J'ai bien entendu la voix de Lord Birkenhead, toujours vivant, apparemment animé par le seul et pressant désir de venir en aide à l'humanité. »

Le 4 mars 1963 et le 25 avril 1966 à nouveau, une voix disant être celle de Sir Oliver Lodge, célèbre physicien anglais et non moins réputé, dans le domaine des recherches psychiques, prit la parole.

Mr M. J. Croft, professeur de physique en retraite, qui avait étudié avec Lodge et qui l'avait bien connu, écouta la bande.

Le premier août 1966, il écrivit à Woods, de sa maison de Angmering-on-Sea, dans le Sussex :

« À l'invitation de Mr S. G. Woods et de Mrs Greene, ma femme et moi avons écouté la bande relatant des événements qui, nous a-t-on appris, avaient été rapportés par feu Sir Oliver Lodge. Nous avons constaté que la voix avait bien les mêmes qualités que nous avions autrefois associées à celle de Sir Oliver Lodge : des sifflantes semblables, une aisance d'expression et une justesse de mots – traits tout à fait caractéristiques de Sir Oliver Lodge et de sa façon de parler. »

Le 7 juin 1963, une voix disant être celle de Lilian Baylis, fondatrice de l'Old Vic, prit la parole le 21 août de cette même année, lors d'une émission sur une chaîne régionale de la BBC, Woods fit passer un extrait de la bande. À la suite de cette émission, il reçut une lettre de Mrs Alys F. Watson, filleule de Lilian Baylis, et qui avait séjourné et travaillé avec elle à l'Old Vic. Elle se rendit à Hove où vivait Woods et vint entendre la bande intégralement.

Le 21 novembre, elle écrivit à Woods :

Je suis très heureuse de vous le confirmer par écrit. J'ai bien entendu la voix de Lilian Baylis. C'était bien elle.

Les bandes les plus écoutées furent celles de la voix qui affirmait être celle de Cosmo Lang.

La première communication eut lieu en mai 1959. C'était la séance au cours de laquelle il fit part à Woods et à Betty Greene de son changement d'opinion quant à la religion et au spiritualisme.

En septembre 1960, lors d'une émission de télévision – sur la chaîne Associated – et au cours d'un programme intitulé : « Sur la religion : christianisme et spiritualisme » et diffusé un dimanche après-midi, le révérend John Pearce-Higgins, alors curé du Putney et président du Comité de Recherches de la Congrégation des Églises pour les études psychiques, mentionna l'enregistrement de la voix de Lang comme la preuve d'un lien entre christianisme et spiritualisme.

Au même moment, en tant qu'éditorialiste au *Daily Sketch*, je reçus de mon rédacteur en chef, Colin Valdar, l'ordre d'écrire une série d'articles sur les preuves récentes d'une vie après la mort. Woods entendit parler de la tâche que j'avais à remplir et me demanda de venir chez lui à Brighton écouter moi-même la bande.

En tant qu'étudiant, j'avais entendu Lang faire un sermon dans la chapelle de mon collège, St John's, à Oxford, en 1937 ou 1938. Sans faire confiance à ma mémoire pour un événement qui avait eu lieu quelque vingt années plus tôt, j'essayai, dans le laps de temps qui m'était imparti, de recueillir l'opinion de ceux qui l'avaient bien connu ou qui l'avaient souvent entendu.

Pearce-Higgins était catégorique.

« À moins que la séance n'ait été truquée, me dit-il, je crois qu'il s'agit bien là de Cosmo Lang. Cette voix a toutes les caractéristiques de celle de Cosmo Lang. C'est bien le genre de choses qu'il aurait dites. Si on la compare à un tas d'autres communications semblables, qui peuvent plus facilement être corroborées, la voix semble authentique. »

Une vieille amie de la famille, l'honorable Mrs Herbert Lane qui vivait près de Waveham, Dorset, semblait tout aussi convaincue. Lang avait souvent séjourné chez elle et elle, chez lui.

« Ma première impression dit-elle, fut que c'était authentique. J'avais bien l'impression de l'entendre parler, autant qu'il soit possible de l'affirmer. J'avais le sentiment que c'était bien ce qu'il aurait dit. C'était tout à fait lui de ne pas critiquer sans avancer d'idées constructives. »

Pearce-Higgins m'aida à organiser un test qui, nous l'espérions, allait être déterminant. Sur sa suggestion, j'empruntai au directeur des émissions religieuses de la BBC, un enregistrement de la voix de Lang, du temps de son vivant – la célèbre déclaration radiophonique qu'il avait faite au moment de l'abdication du roi Édouard VIII, en 1936.

Je l'emportai ainsi que l'enregistrement fait par Woods, chez l'évêque de Southwark, le Dr Mervyn Stockwood. Je fis passer les enregistrements l'un après l'autre, puis les deux en même temps. Je les lui fis entendre à lui, ainsi qu'à son chapelain et au principal du collège théologique de St Stephen's, Oxford.

Le test ne fut pas déterminant. La voix de Lang, vivant, était plus forte, plus ferme que la voix de Lang mort.

« Je pense, dit l'évêque, que nous pouvons écarter toute possibilité de truquage conscient. D'où vient la voix ? Nous ne le savons pas. Ce peut être effectivement Cosmo Lang. Ce peut être n'importe qui. Je ne peux ni confirmer ni infirmer. »

Un point tracassait cependant l'évêque et les deux autres ecclésiastiques : le Lang désincarné était moins lucide dans ses arguments, moins clair qu'ils ne s'y attendaient. Lang, de son vivant, avait été un brillant orateur.

Cela ne tourmentait pas Pearce-Higgins.

« Il est impossible, dit-il, de s'attendre à ce que la voix d'un être désincarné soit exactement semblable à celle qu'il avait de son vivant, si l'on tient compte des difficultés rencontrées pour se faire entendre. Il semble que l'intelligence faiblisse lors de sa descente des sphères supérieures, vers nous.

« Il est difficile à ces esprits de parvenir jusqu'à nous. Ils n'arrivent pas à s'exprimer aussi clairement ou aussi bien qu'ils le faisaient auparavant. Ils paraissent fonctionner parfois sur un plan inférieur à celui sur lequel ils fonctionnaient sur terre. »

Peu après, Pearce-Higgins reçut un appui inespéré.

Vers la fin du mois de septembre 1960, la congrégation des Églises tint son assemblée annuelle. L'enregistrement concernant Lang fut écouté et discuté.

Le 1er octobre, Woods et Greene eurent une de leurs séances habituelles avec Flint. La voix prétendant être celle de Cosmo Lang se fit de nouveau entendre et expliqua pourquoi.

« J'assistais à votre réunion, dit-elle, quand vous avez rencontré les membres de la congrégation des Églises et je n'ai que trop bien compris la réaction de certains vis-à-vis de l'enregistrement. Je ne retire rien de ce que j'ai dit précédemment. En fait, j'ai plusieurs choses à ajouter. »

Un autre discours s'ensuivit. Vers la fin, Betty Greene saisit la chance qui lui était offerte de poser une question.

« Étiez-vous avec nous, l'autre soir ?

— Oui, mon enfant, répondit-il.

— Vous savez donc que des doutes ont été émis quant à l'authenticité de votre voix.

— Il en existera toujours, malheureusement.

— Certains se montrèrent surpris en vous entendant utiliser des mots tels que "strates". On nous a suggéré de vous poser quelques questions à ce sujet dès que nous entrerions à nouveau en contact avec vous.

— La réponse, répondit Lang, est la simplicité même. Vous devez vous souvenir que tout son est créé artificiellement. Vous, dans votre monde, en utilisant votre corps, en faisant vibrer l'atmosphère par l'intermédiaire de vos cordes vocales – et cela en liaison avec votre éducation, votre milieu –, vous créez ce vous appelez votre voix, votre voix propre.

« Ce qui constitue une voix ordinaire en elle-même, après tout, c'est la transmission des pensées d'un individu. Quand moi ou d'autres, nous venons vous parler, vous devez vous souvenir que nous le faisons par l'intermédiaire d'un capteur artificiel. Personnellement, je ne pense pas qu'il importe que notre voix soit identique ou non. Je doute que qui que ce soit, arrivant de notre monde, puisse fidèlement reproduire sa voix. Qu'est-ce qu'une voix, après tout ? Une reproduction de la pensée, grâce à des ondes sonores. N'oubliez pas, mes amis, que lorsqu'il s'agit de nous, qui sommes hors de votre monde, nous qui n'avons plus le même corps physique, nous qui ne sommes plus capables de vous parler au sens où vous l'entendez, nous qui transmettons nos pensées à la manière dont nous le faisons – par le pouvoir d'un instrument ou d'un médium – vous ne pouvez vous attendre à ce que nous ayons la même voix ou que nous nous souvenions même du son que pouvait avoir celle-ci auparavant.

« Le temps nous dérobe bien des choses, mais ce qu'il ne nous dérobe pas, c'est la vérité. Car nous atteignons à plus de vérité par l'expérience, et nous sommes en situation de vous offrir la vérité, si vous voulez la recevoir.

« Ne soyez pas affectés par ces petites choses que, si souvent, les gens montrent du doigt – pour tenter de détruire – parce qu'ils ont peur… Cela n'importe guère, après tout, que ma voix soit ou ne soit pas la voix que j'avais lorsque j'étais sur terre. En tout cas, ma voix, comme bien d'autres, a sans aucun doute changé avec le temps. Ma voix, quand j'étais enfant, n'était pas celle que j'avais vingt ans plus tard. Et l'emploi d'un mot un peu surprenant n'a guère d'importance.

« Je vous parle tel que je suis… souvenez-vous de ça. Pas tel que j'étais. Souvenez-vous que j'ai changé… Dieu merci. Et je serais fier de pouvoir dire – si la fierté était dans ma nature, ce qui n'est pas le cas – que j'ai changé. Mes pensées ne sont plus celles que j'avais autrefois. Quelle importance, alors, si ma voix n'est plus la même ?

« À ceux qui doutent, je dis que le temps viendra certainement où ils croiront. Mais il est préférable que vous croyiez pendant que vous êtes sur terre, car vous pouvez alors faire beaucoup de bien. Nombreux sont ceux qui regardent en arrière et regrettent de ne pas avoir connu la vérité lorsqu'ils étaient sur terre. Que leurs vies, leurs actions auraient été différentes ! Ils auraient pu tellement mieux servir leurs frères, et Dieu par conséquent. »

Cet enregistrement fut écouté par Mr Conan Shaw de Angmering, Sussex, qui jugea que la voix était identique.

« En tant que choriste à la cathédrale de York, de 1908 à 1915, écrit-il, j'ai eu de nombreuses fois l'occasion d'être en contact avec le Dr Lang.

« En certaines occasions, je fus même choisi pour porter la traîne de l'archevêque. Le Dr Lang avait pour habitude de faire avec ses choristes des promenades en bateau, sur la rivière Ouse.

« Son style oratoire particulièrement lent ressort parfaitement sur cette bande tout comme les particularités de sa diction. Ses deux mains agrippaient le haut de son étole. Puis, graduellement, il parvenait à une espèce de paroxysme sur un mot ou une phrase, comme il le fait sur cette bande avec le mot "maintenant" et la phrase "Ils se lèveront alors dans l'église et le proclameront."

(Cela se référait bien sûr à la communication du Dr Lang.)

« Il tournait la tête de gauche à droite, puis de droite à gauche avant de fixer ses ouailles, devant lui.

« Oui, je suis tout à fait sûr qu'il s'agit là de Cosmo Lang, ainsi que la voix l'affirme sur cette bande. »

Les corroborations sont encourageantes. Mais sont-elles essentielles ? Dans l'optique de ce que dit Lang, probablement pas. Les témoignages venus de l'autre monde confirment l'opinion de Lang selon laquelle la voix ne peut être restituée sur terre d'une manière tout à fait identique.

« Nombreux sont ceux de notre monde, se plaignait Oscar Wilde, qui essayent d'en dire beaucoup et qui de ce fait, ne disent pas grand-chose. Pour la simple raison que nous devons avoir recours à cette extraordinaire méthode de communication. Pourquoi ne peut-on inventer quelque chose de plus facile, de plus adapté et de plus efficace ? Je n'arrive pas à le comprendre ! »

Ellen Terry expliqua le problème très longuement, en 1965.

« Il n'est pas facile, même pour l'interlocuteur le plus expérimenté, d'être toujours capable d'entrer en contact, d'être reçu et de tenir une longue conversation, soi-disant normale. Je crois que le seul fait de pouvoir entrer en contact est, en soi, un miracle. Il existe cependant des gens, dans votre monde, qui, en dépit de toutes les communications réussies, en dépit des preuves qu'ils ont pu recevoir dans le passé, ont encore des problèmes et parfois même des doutes.

« Nous sympathisons avec eux et nous les comprenons. Mais, voyez-vous, je crois qu'il est important de comprendre que toute communication reste fondamentalement un processus mental, une transmission de pensée qui, en vous atteignant, peut s'être, d'une certaine façon, altérée, déformée.

« Il y a aussi tant et tant de mots qui veulent dire la même chose, et qui, cependant, ne définissent pas exactement ce que nous essayons de vous dire.

« J'aimerais être en mesure de vous expliquer que le principe du "capteur de voix" lui-même, ne peut être, de par sa nature même, qu'un reproducteur artificiel de la personnalité de l'individu, de sa voix, de ses impressions, de ses idées. Encore que cela puisse parfois… et nous l'espérons, bien sûr, paraître tout à fait naturel, réel.

« C'est ce "capteur" qui fait, pour nous, ce que feraient nos cordes vocales, si nous étions sur terre.

« Quand vous êtes sur terre, vous avez votre propre corps et vos propres cordes vocales, vous vivez dans des conditions normales et vos cordes vocales répondent automatiquement et naturellement. Vous faites vibrer l'atmosphère, créant ainsi des sons, d'une manière tout à fait normale. Nous, nous devons faire toutes ces choses artificiellement.

« Nous nous tenons devant le "capteur", nous concentrons au maximum notre personnalité tout entière ainsi que nos pensées.

« Vous savez combien il est difficile, sur terre, de garder les idées claires et d'être précis en essayant de suggérer ou de dire des choses. Alors songez combien c'est plus encore difficile pour nous ! »

Trop difficile en effet, si les voix ne se cherchent pas des excuses, pour que le test vocal soit déterminant, d'une manière ou d'une autre.

En est-il un autre que nous puissions appliquer ?

Nous ne pouvons confirmer par l'observation ce que les voix disent de leur monde, nous le savions déjà. Existe-t-il un terrain neutre où ces deux mondes pour un instant puissent se rencontrer ? Et où les témoignages de l'au-delà pourraient être vérifiés par quelqu'un vivant encore sur cette terre ? Le point de rencontre de la mort ?

21

Peu de temps après que George Wilmot, le chiffonnier, se fut installé dans sa famille française, son guide
revint le voir pour savoir comment il allait. Wilmot ne
témoigna que de peu d'inquiétude pour ses ex-femmes,
toujours vivantes sur terre.

« L'une d'entre elles, dit le guide, va bientôt arriver
ici. Cela pourrait l'aider, si tu allais la voir. »

Il y alla à contrecœur pour la voir mourir.

« Je me suis retrouvé, raconta-t-il, en train de marcher
dans une rue. C'était un endroit tout à fait étrange avec
des maisons toutes identiques. Puis je suis arrivé dans
une vieille maison victorienne, complètement démodée.
Là, dans une chambre, il y avait ma femme, allongée sur
un lit en fer. Oh, elle n'était pas belle à voir ! Je crois
que je n'aurais pas dû penser ça. Et je me suis dit : Ô
mon Dieu, vous m'avez épargné quelque chose ! C'est
moche de penser comme ça, mais elle n'avait jamais été
très belle. Elle était vraiment affreuse. Donc, ce gars
(Michael, le guide) m'a dit :

— Tu sais qu'elle arrive ici, très bientôt.

— Merci, mais tu me l'as déjà dit.

— Je crois pas qu'elle te reconnaîtra, dit-il, et je crois
pas non plus qu'elle te verra. C'est, bien sûr très rare
qu'ils nous voient. Tu n'as qu'à rester au pied du lit et à
te concentrer sur elle, tu veux bien ?

— Pourquoi je devrais faire ça ? Ça ne m'intéresse absolument pas.

— Tu dois savoir, dit-il, que même si tu t'entends pas avec les gens, même si tu les aimes pas spécialement, tu as un devoir à remplir, en certaines circonstances. Ça l'aidera.

« Alors je suis resté au pied du lit comme il me l'avait demandé. Puis, tout à coup, j'ai vu ma femme changer d'aspect. On aurait dit que ses joues reprenaient des couleurs. Ses yeux semblaient plus brillants. Je l'ai entendue prononcer mon nom. Ça m'a fait tout drôle. Je peux vous le dire, je me sentais plutôt bête, là, debout au pied de ce lit.

« Elle a tendu les mains, et j'ai constaté tout à coup qu'elle avait vraiment changé, vous voyez. Quelque chose s'était passé. Il y avait comme un halo lumineux autour d'elle. Et puis, j'ai vu d'autres personnes entrer dans la chambre et entourer le lit. J'en ai reconnu deux : son père et sa mère.

« Elle semblait flotter. Je ne trouve pas d'autres mots pour décrire ça. On aurait dit qu'elle flottait au-dessus de son propre corps comme si elle s'élevait, raide. Ça a l'air idiot maintenant, mais j'ai reculé, parce que je croyais qu'elle allait me tomber dessus.

« Michael m'a murmuré à l'oreille :

— Elle est en train de quitter son corps. Ça va aller. Ils vont l'emmener, vois-tu. C'est son père et sa mère. Les autres sont des amis, venus l'aider. Je voulais que tu viennes parce que tu l'as, d'une certaine façon, aidée. Tu ne saisis pas encore à quel point.

— C'est étrange, j'ai dit, elle est complètement seule ici.

— Oui, personne ne s'est inquiété de son sort. Ses voisins de l'immeuble ne savent pas qu'elle est malade. Ils la trouveront morte dans son lit, dans le courant de la journée. Demain, peut-être. Ce n'est pas très important, de toute façon. Il fallait l'aider, en un moment difficile. »

Tous les témoignages étudiés jusqu'ici décrivent ce qui arrive après la mort. Celui-ci est différent. Il a pour but de donner un aperçu – vu du monde spirituel – de ce qui arrive juste avant et au moment même de la mort.

Le compte rendu de Wilmot apporte deux informations : d'une part, au moment de sa mort, sa femme a eu conscience de sa présence dans la pièce et a été aidée et accueillie par sa mère, son père et ses amis ; d'autre part, au moment de sa mort, son corps psychique ou éthérique s'est détaché de son corps physique et a flotté au-dessus de lui.

Pouvons-nous vérifier la véracité de ces comptes rendus, à partir de témoignages sur la mort fournis par des gens toujours vivants ?

Mes articles sur la vie après la mort m'apportèrent un courrier énorme. L'une des lettres était envoyée par une infirmière en retraite, Vivien Keddie, de Wells Somerset.

« J'étais très malade et bien près de passer. On me croyait perdue. J'ai eu la sensation de quitter mon lit pour rejoindre ma mère, qui était au pied du lit, avec un merveilleux sourire sur les lèvres. Ses mains étaient tendues. On aurait dit qu'elle m'attendait. Elle ne m'a pas adressé la parole. Une ombre a semblé se glisser entre nous. J'ai senti que mon temps n'était pas encore venu et j'ai eu l'impression de revenir dans mon lit. »

Mrs Marjorie Flint, Anlaby Road, Hull, m'envoya la description suivante de la mort de sa mère :

« Ma mère était inconsciente depuis un bout de temps. Tout à coup, elle s'est assise dans son lit, a tendu les bras et a dit : ô ma mère, n'est-elle pas jolie ?

« Quand j'ai tenté de la recoucher, elle a tendu les bras encore plus comme pour toucher quelque chose et m'a dit :

— Laisse-moi partir.

Telles furent ses dernières paroles. Je suis sûre que ma grand-mère était là pour la guider et l'aider. »

Dans certains cas, les guides de l'au-delà semblent avoir été vus par des gens en bonne santé mais doués d'une vision supranormale.

Mrs Woodcock, de Ringmead, Hampshire, me fit savoir :

« Ma mère avait eu une attaque. Nous avions une infirmière pour la veiller. Le lendemain, l'infirmière me dit avoir vu, vers 3 heures du matin, la silhouette d'une jeune fille au chevet de ma mère.

— J'ai demandé de quoi il s'agissait, m'a-t-elle dit. Et la silhouette m'a répondu :

— Je suis venue chercher ma mère. Puis elle a disparu.

Maman mourut le lendemain, à 3 heures du matin.

Plus tard, l'infirmière vit une photo de ma sœur décédée.

— C'est la jeune fille qui était au chevet de votre mère ! me dit-elle. »

Une histoire encore plus étrange me parvint de Mrs K. Mc Laughlin, Northborough Road, Norbury, dans le sud-est de Londres :

« Ma mère a été tuée par une bombe, en 1944. En 1948, mon père a été atteint d'un cancer du poumon et je me suis occupée de lui jusqu'à sa mort, en 1950.

La veille de sa mort, j'étais en train de lui parler quand il a brusquement tourné la tête, a souri et a dit : Je ne vais pas être long, ma chérie.

Mon père est mort le lendemain matin. Mon fils de trois ans, né après la mort de ma mère, m'attendait au rez-de-chaussée espérant pouvoir rendre visite à son grand-père. Quand je l'ai emmené dans la salle de séjour, il m'a dit tout à coup : maman, je n'aime pas la dame qui est montée voir grand-papa. Elle ne m'a pas laissé venir avec elle.

Personne n'était monté. Il n'avait pu voir que la forme spirituelle de sa grand-mère. »

Le Dr Robert Crookall, ancien directeur de la Société géologique de Sa Majesté, passa sa longue retraite à rechercher les preuves d'une vie après la mort. Il en vint à une conclusion intéressante :

« On ne semble avoir enregistré aucun cas, où une personne, sur le point de mourir, a déclaré voir un ami vivant, que par erreur elle croyait mort. En revanche, il existe de nombreux témoignages d'agonisants qui voient des amis qu'ils croient vivants et qui sont, en fait, morts. »

Pouvons-nous trouver une preuve décisive pour étayer le témoignage de Wilmot selon lequel, au moment de la mort, le corps psychique se détache du corps physique, flotte au-dessus de lui, puis s'envole dans l'autre monde ? Quelqu'un, en ce monde-ci, a-t-il vu une telle chose se produire ?

Parmi les cas historiques rassemblés par Crookall, il existe le témoignage d'un docteur américain, R. B. Hout de l'Indiana, qui semble avoir été doué d'un rare degré de vision psychique. Au chevet de sa tante mourante, il dit avoir vu « ce corps astral flottant horizontalement, à quelques dizaines de centimètres au-dessus du corps physique ».

« Il était serein et au repos, ajoutait-il, mais le corps physique, lui, était actif et dans ses mouvements réflexes et dans ses contorsions de douleur. J'ai parfaitement vu ses traits. Ils étaient identiques à ceux du visage physique si ce n'est que la paix et la vigueur avaient remplacé l'âge et la souffrance. Mon oncle était debout, près du lit. Son fils était là également. Tous deux étaient morts depuis longtemps. »

En soi, ce témoignage unique ne nous apprend pas grand-chose.

Pourtant, dès que je l'eus publié, des gens qui avaient vu la mort de près ou qui avaient même été déclarés cliniquement morts, m'écrivirent. Leur cœur avait cessé de battre… ils avaient été ranimés. Tous suggéraient qu'un processus naturel de transition d'un monde à l'autre s'instaurait automatiquement avant qu'intervienne un processus de retour en arrière.

Une certaine Mrs C. M. Langridge, de Poole, Dorset, m'écrivait :

« J'avais subi une opération très grave. Trois jours plus tard, quand mon mari vint me rendre visite, il me demanda comment j'allais. Je lui répondis que je ne me sentais pas très bien. Presque immédiatement, je n'ai plus eu conscience des choses matérielles. Je me suis retrouvée hors de mon corps, suspendue dans l'air en train de regarder mon corps, sous moi. Trois ou quatre personnes essayaient de me ranimer.

Plus tard, après avoir réintégré mon corps, j'ai demandé à mon mari ce qui s'était passé, si quelqu'un était venu dans ma chambre. Il m'a répondu que je m'étais effondrée, qu'il était allé chercher la sœur qui, à son tour, était allée chercher le docteur et, pendant quelques minutes, ils avaient cru que j'allais mourir. »

Une certaine Mrs Veitch, de Redcar, Yorkshire, m'écrivit :

« J'étais très malade. Je m'affaiblissais de jour en jour. J'étais inconsciente et tout à coup, j'ai eu l'impression d'être réveillée. Je n'ai ressenti aucune douleur, mais je savais que j'étais en train de mourir. Je me suis mise à flotter. Tout se passait comme si je me regardais dans une glace. Je savais que ce n'était pas mon moi réel. »

Une certaine Mrs C. A. Paton de Hove, Sussex, avait déjà son certificat de décès signé par son médecin, quand elle se retrouva en train de flotter avec aisance et rapidité. Puis elle atterrit dans ce qu'elle décrivit comme « un endroit charmant ». Un guide apparut et ils communiquèrent sans proférer une seule parole. Elle lui dit :

« J'aimerais bien continuer, mais il faut que je retourne auprès de mon mari.

— Ce sera difficile, mais je vais vous y aider, répondit le guide. »

Elle fit le voyage de retour, se mit à perdre ce sentiment de légèreté qu'elle avait connu et recommença à souffrir. Finalement, elle arriva dans sa chambre et vit son propre cadavre.

L'infirmière était en train d'écrire. Mrs Paton se réveilla dans son corps physique et s'adressa à l'infirmière qui, en l'entendant parler, lâcha son stylo et réprima un cri.

Durant le temps où elle avait été « morte », elle avait remarqué plusieurs choses au sujet de la maison qu'elle n'aurait pas pu voir de son lit. Dès qu'elle eut regagné son corps et qu'elle eut repris conscience, elle décrivit ce qu'elle avait vu. Sa description était absolument exacte.

En 1968, j'écrivis une série d'articles citant tel ou tel autre cas similaire. Une nouvelle série de lettres m'apporta d'autres histoires semblables.

Une certaine Mrs Pat Cherry, alors âgée de 56 ans, me décrivit la très grave opération qu'elle avait subie à l'estomac, à l'hôpital de Northallerton.

« ... *Tout à coup, un étrange tourbillon, et je me suis retrouvée en train de flotter au-dessus du lit, regardant mon corps allongé là, pâle et exsangue, en dessous. J'eus le sentiment de partir en flottant.*

Cela m'est arrivé trois fois. La dernière fois, j'ai vu l'infirmière aller chercher un docteur qui m'a fait une piqûre au bras. Je suis revenue, j'ai réintégré mon corps en flottant et j'ai perdu conscience. »

Une certaine Mrs Patricia Ariss, de Daventry, déclare avoir subi à l'hôpital Reine-Elizabeth de Birmingham, l'ablation d'une tumeur cancéreuse à l'estomac. L'opération dura six heures.

« Je me suis soudainement sentie flotter au-dessus de la table d'opération, j'ai regardé l'équipe qui travaillait sur mon corps, au-dessous. Toutes les douleurs que j'avais ressenties avant l'opération avaient disparu. Je me sentais en paix. »

Elle vit sa mère qui avait dû subir une amputation de la jambe gauche, juste avant de mourir. Elle avait l'air jeune et avait ses deux jambes. Elle lui disait : « Pas encore. »

Elle se réveilla le lendemain, dans son lit d'hôpital.

L'infirmière confirma qu'elle était bien morte pendant l'opération et qu'ils avaient eu du mal à la ranimer.

Une série d'histoires vraisemblables ? Sont-elles vraiment arrivées ? Ne sont-elles que des cauchemars fiévreux ?

L'étrange expérience qui consiste à quitter puis à réintégrer son corps physique est connue sous le terme de projection astrale ou d'expérience hors du corps. Il existe un nombre considérable de preuves témoignant que les gens, qui disent l'avoir connue, ont observé des événements et des scènes à des kilomètres, parfois à des milliers de kilomètres de leur corps physique, preuves plus tard confirmées par des témoins indépendants.

À quel point est-ce fréquent ? Des statistiques nous prouvent que cela arrive beaucoup plus souvent qu'on ne le pense. Dans l'une de ces enquêtes, il apparaît que sur deux cents pratiquants anglais, dans la fin des années cinquante, pas moins de quarante-cinq pour cent d'entre eux ont reconnu avoir vécu au moins une expérience de ce genre.

Une éducation inévitable : si nous pouvons, alors que nous sommes vivants, continuer d'exister en tant qu'être conscients en dehors de nos corps physiques, pourquoi n'en serait-il pas de même quand nous sommes morts ?

Au-delà de l'instant de la mort, les témoins sont également morts. Nous ne pouvons que nous demander s'ils sont dignes de confiance. Sont-ils d'accord ou se contredisent-ils les uns les autres ?

Tous les esprits qui ont fait part à Woods et à Betty Greene de leurs expériences disent avoir vécu en ce monde-ci, être morts, et s'être retrouvés dans l'autre monde. Les descriptions qu'ils font de leur arrivée dans l'autre monde et de ce qu'ils y ont trouvé concordent-elles ?

Tentons de renverser la question. Supposons qu'il y ait un autre monde où des gens vivent et meurent avant d'arriver sur terre. Supposons qu'une demi-douzaine d'entre eux aient effectué le passage vers notre monde et aient envoyé des témoignages à ceux qu'ils laissaient derrière eux. Que diraient-ils de nous ?

S'ils sont tous venus s'installer en Angleterre avec leurs parents, leurs témoignages devraient comporter nombre de points communs. Mais les témoignages sur la vie dans les Highlands et ceux ayant trait à la vie dans l'East End de Londres pourraient comporter de surprenantes différences, à première vue inconciliables.

Supposons qu'ils soient installés dans des lieux aussi éloignés que Preston, Pékin, Calgary, Calcutta, Toronto ou Tombouctou ? Quelqu'un, collationnant leurs témoignages, pourrait-il vraiment croire qu'ils soient tous allés dans le même monde ou même que ce monde ait jamais existé ?

Les voix nous disent qu'il existe de nombreuses sphères dans l'autre monde et que chacun est dirigé vers un lieu, vers une existence faits pour lui, selon sa personnalité et la vie qu'il a menée sur terre.

Si, faisant la part des différences que cela peut impliquer, nous pouvions trouver quelque uniformité interne dans leurs témoignages, pourrions-nous comparer ce que disent les voix qui ont parlé à Woods et à Betty Greene, avec d'autres témoignages concernant une prétendue vie après la mort recueillis par d'autres méthodes de communication, tout à fait indépendantes ?

La méthode la plus respectée – celle qui permet de se passer de la conception populaire du médium et qui paraît souvent acceptable pour ceux qui rejettent les séances spiritualistes – est l'écriture automatique. L'un des écrivains automatiques les plus connus est Miss Grace Rosher.

Quand je lui ai rendu visite dans son appartement, au rez-de-chaussée d'un immeuble de Kensington, elle insista sur le fait qu'elle n'était pas un médium et n'avait jamais envisagé d'assister à une séance spiritualiste. Elle était une chrétienne pratiquante jusqu'au jour où, à la fin des années cinquante, elle s'était assise à son bureau pour écrire à des amis. Stylo en main, main posée à plat sur le bloc de papier à lettres.

Soudain, elle eut l'impression de recevoir un message mental : laisse ta main où elle est, et regarde ce qui se passe.

Presque immédiatement, le stylo se mit à écrire tout seul « avec toute l'affection de Gordon ».

Que se passe-t-il ? pensa-t-elle.

Le stylo lui répondit :

« Je suis. C'est moi. Gordon. Gordon. »

Quatre jours plus tard, rassemblant son courage, elle reprit de nouveau le même stylo, et le stylo écrivit pendant une demi-heure. L'écriture semblait identique à celle de Gordon Burdick. Quinze mois plus tôt il s'apprêtait à quitter Vancouver, pour l'épouser. Il était mort la veille du départ.

Grace Rosher demanda de l'aide à sa communauté religieuse qui transmit immédiatement des échantillons de lettres écrites par Burdick, de son vivant, à un expert graphologue, Mr F. T. Hillinger, de Woking, Surrey. Ce dernier certifia que les deux écritures appartenaient bien à la même personne.

En 1961, Grace Rosher écrivit un livre qui racontait de façon abrégée ce qui était arrivé à Burdick après sa mort. Comment le témoignage de Burdick peut-il être comparé à ceux apportés par les voix ?

« Je me suis endormi, dit-il, et je me suis retrouvé dans un charmant jardin. Je m'y suis promené et j'ai vu ma mère venir à ma rencontre. Elle m'a dit : Fils, je suis venue pour t'emmener à la maison. »

Il se rendit chez elle et fut accueilli par ses frères et ses sœurs, morts avant lui. Il ne comprenait pas ce qui se passait. Il croyait rêver. Ils lui dirent qu'il était mort. Il fut conduit dans un hôpital, où on lui dit de se reposer, puis il reçut l'autorisation de rejoindre sa famille.

Que dit-il de sa nouvelle vie ?

« Quand nous mourons, nous faisons notre paradis ou notre enfer nous-mêmes. Ce sont, en fait, des états de conscience, déterminés par la façon dont nous avons vécu sur terre. Les maisons et les jardins sont très semblables à ceux de la terre. Il en est de même pour les vêtements. Il y a des villes avec des lycées, des galeries d'art, des salles de concert. Les fleurs sont belles. L'argent n'existe pas. Vous pouvez manger ce que vous voulez, mais la nourriture n'est plus nécessaire.

« Vous pouvez voyager à volonté. Vous pouvez étudier ce que vous voulez. Il y a des tas d'animaux et d'oiseaux. Vous ressemblez exactement à celui que vous étiez sur terre. Vous éprouvez les mêmes sensations. L'amour est le seul lien unissant les êtres. Finalement, vous progressez et vous atteignez les sphères supérieures. »

Tout cela nous paraît étrangement familier.

Pouvons-nous étendre la comparaison à tous les témoignages qui ont pu être recueillis de par le monde, sur une vie au-delà de la tombe ?

La seule personne qui ait tenté cette collation globale est Robert Crookall. Il a passé quatre ans à rassembler toutes les communications qu'on affirmait avoir été transmises par des gens qui déclaraient être morts et décrivaient ce qu'ils avaient connu au moment de leur mort et juste après. Il analysa ces résultats dans un livre publié en 1961.

Il est impossible, se dit-il, que tous ceux qui affirmaient avoir reçu ces messages soient de connivence. Même si tous les médiums sont des charlatans il est impossible que leurs témoignages fassent partie d'une mystification globale et organisée. Si tous les témoignages ont été reçus télépathiquement par les consultants, peuvent-ils avoir tous les mêmes idées imaginaires sur le passage dans l'autre monde ?

Les témoignages ne sont pas exactement semblables mais ils présentent tous une uniformité interne, qu'ils viennent des îles du Pacifique, d'Europe ou d'Amérique. Une uniformité très largement partagée par les voix qui parlèrent à Woods et à Betty Greene.

Pourquoi sont-ils tous si proches ? On peut répondre en disant qu'ils viennent tous de la même source. De ces sphères d'un autre monde, où nous nous retrouverons après notre mort.

Si telle est la véritable explication – personne ne l'a encore prouvé – serait-il possible que les voix qui ont parlé par l'intermédiaire du médium Flint, et, indépendamment de lui, à Woods et à Betty Greene, nous aient donné le témoignage le plus précis, le plus détaillé que nous ayons jamais reçu d'une expérience que nous partagerons tous quand nos vies en ce monde seront parvenues à leur terme inévitable ?

TABLE DES MATIÈRES

Introduction 7
1. L'histoire d'Alf Pritchett 11
2. Où sont donc passés tous les soldats ? 23
3. De l'enregistrement 29
4. « Je dois être mort ! » 41
5. Guide pour l'autre monde 51
6. Visite à la famille 59
7. Conversation avec une mère 71
8. C'est donc ça le paradis ! 81
9. Mort soudaine 95
10. Les animaux 105
11. Des mariages sont célébrés au paradis 113
12. Vie quotidienne 125
13. Rose, à nouveau 137
14. Conversation avec Oscar Wilde 149
15. Maisons et jardins 165
16. Travail 181
17. Les sphères supérieures 195
18. Le problème de la religion 207
19. Observations sur les médiums 217
20. Tests de voix 229
21. La preuve finale 243

Achevé d'imprimer par GGP Media GmbH, Pößneck
en juin 2006
pour le compte de France Loisirs,
Paris

N° d'éditeur: 45954
Dépôt légal: mai 2006
Imprimé en Allemagne